未来へ紡ぐ電化史

にっぽん電化史 ③

著

都市と電化研究会

編

橋爪紳也　加治木紳哉　西村　陽

Shinya Hashizume　Shinya Kajiki　Kiyoshi Nishimura

日本電気協会新聞部

はじめに

「電化」が明治以降の日本の近代化、とりわけ経済の発展や生活の豊かさの実現を引っ張ってきた偉大な牽引者であったことは、国民皆が知っている事実である。明治以降、電気の普及は工業化や都市化を支え、国民意識を作る手助けをし、国民に楽しみを作り出し、時には社会の絆や安全性の向上に貢献してきた。特に戦後日本を世界の主要国の一つに押し上げた家電をはじめとする電機産業の発展は、わが国の誇りでさえあった。

しかしながら今、「メイド・イン・ジャパン」の電化にかかわる製品や技術は大きな転換期にさしかかっている。日本を代表するいくつもの電機メーカーの苦境に代表されるような世界の中での「日本の電気」の埋没、電気を作り、送る電気事業全体にわたる新技術の萌芽、生活者のエネルギーにかかわる意識の変革は、多くの日本人が感じていることであろう。

これらの変化が、輝ける「日本の電化」の終焉を意味するのか、それとも新しい革新に向けた胎動なのか。それを解き明かすことが本書の目的である。

　私たち「都市と電化研究会」は、明治以降の「使う側」「生活者」にとっての電化の歴史を振り返り、その社会的な意味と今日的な示唆を導き出してきた。これまでにまとめてきた二冊の本のうち、まず『にっぽん電化史』ではさまざまな場面で電気がどう使われ始め、それによって日本社会はどのように変わっていったのか失われた歴史を掘り起こし、振り返った。また『にっぽん電化史②〜災害と電気』では、東日本大震災を受け、過去の災害の体験から電気はどう学び、それをどう活かしてきたのかなど、防災やエネルギー技術革新の面から電気のあるべき姿や電化の未来を占ってきた。

　そうした歩みを踏まえて私たちがまとめた三冊目の本では、日本の電化、いわば「にっぽん電化」が曲がり角に立っている中で、やはり未来への示唆を求めて考えていくことにしたいと考えた。その中では、これまでの二冊の本であまり取り上げてこなかった戦後の電化史の中からトピックを取り上げ、さまざまな場面、産業、製品の中から日本のこれまでの電化の姿を再構築する。そのうえで「にっぽん電化」の未来を描き出そうとするものである。

本書の構成は以下のようなものである。第1章は、世界汎用の「文明」と各国独自の「文化」、あるいは近代以降の「都市化」の変遷から電化の構造を論じた「戦後日本の電化」、第2章はさまざまな生活産業を通じてにっぽん電化の輝かしい歴史を振り返る「生活と産業の電化」、第3章は本研究会代表の橋爪紳也と日本の家電の未来像の第一人者である神奈川工科大学の一色正男教授による対談となっている。そして第4章では今後の展望となすべきことを「にっぽん電化の未来へ」としてまとめている。

振り返れば、本書の内容が電気新聞紙上で連載された二〇一三年は、評論家の大宅壮一氏が「電化元年」と呼んだ一九五三（昭和二八）年からちょうど六〇年に当たる節目であった。この年、三洋電機が国産初の「角型噴流式洗濯機」を発売し、格段の性能と革新的価格で家事の「電化」を大きく進めた一方、ライフスタイルの「電化」を促した。テレビではこの年日本放送協会（ＮＨＫ）と日本テレビが放送を始めた。この「電化元年」は、まさにその後の「三種の神器」「新三種の神器」「マイクロエレクトロニクス革命」「個電の時代」を経て今日に至る「にっぽん電化」の出発点であり、世界で最も優れた電化を達成した「電化大国」日本の出発点であった。

先端技術で世界の電気文明をリードし、かつ電気炊飯器や電気コタツ、超省エネ機器の数々など日本の文化に合った絶妙な商品開発を積み重ねてきたその歩みは、まさに世界に類を見ないものである。また、明治以降の発展期における都市の形成、戦後の郊外化、最近の再都市化といった都市のトレンドにあたっても、日本の電化はそれぞれの時期に合わせた機器や電化システムを次々と誕生させてきた。そのダイナミックなアイデアや挑戦精神は、商品寿命自身は短かったが本書に頻出するきわめてユニークな家電の数々にくっきりと見てとれる。

さらに、このような「電化大国」への道程は、電機メーカーや家電産業だけが築いたものではない。戦後の経済成長の中では、住宅、食品、酒類、医療、印刷、セキュリティー、音楽など実に多様な産業が、職人や労働者の手作業であった領域を工業化する。その際、製造・生産、輸送、販売、サービス、そして管理の諸段階で、電気を応用した機器が導入され、効率を高め、また新たな可能性を切り拓いた。この営為がさらなる「電化」を押し進め、また新たな電気システムの革新を促す、高度な「電化の連鎖」とでも呼ぶべき状況が生じ、「電化」による社会全体のイノベーションが、急速に進展したとみることができる。

こうした歴史のうえに立った時、日本の電気技術・製品も、家電産業自身も、グローバル化の奔流の中で終焉の時を迎えているとはとても思えない。また、私たちはそう思うべきではないと感じている。そして、その再生と復活のヒントは歴史の中にある。未来を見据えるためには、来た道をたどり直す視点が必要だ。過去の成功や失敗、あるいは実現しなかった可能性、普遍性と固有性のはざまにあって見いだされた挑戦など、先人の創意工夫に示唆を求めることが今必要なのではないだろうか。

歴史は時に螺旋を描きながら、次の段階へと進むものである。どうか、本書でその姿を感じ、「にっぽん電化」の未来に思いを馳せてほしい。

都市と電化研究会副代表　西村　陽

未来へ紡ぐ電化史

都市と電化研究会／著　橋爪紳也　加治木紳哉　西村陽／編

目次

第1章　戦後日本の電化

一・文明と文化

本書では、電化のより深い部分、すなわち「文明」や「文化」にまで立ち入って、われわれの歩みを振り返りながら、日本の都市・産業・生活の中のさまざまな電化の未来の姿について見ていきたいと思う。

そもそも「文明」と「文化」とは対となる概念であり、文明をあらわす「civilization」とはラテン語の「都市」「国家」を意味する「civitas」に由来する。ローマ時代における文明とは、「都市化」ということであり、ひいては都市での生活そのものであった。かつて西欧にあっては「文明」の対極に「未開」「野蛮」という概念が置かれた。相対的に劣っているものを想定することで、文明の優秀さが際立つ。社会進化論者がかつて唱えた発展段階論を加味すると、すべての社会は未開な状態から段階を踏んで、地域固有の文化を育み、最終的に高度な文明を受容するという理屈になる。また文明の中心地から、周辺の未開な地域に文明の制度と装置が伝播するという見方も可能だろう。

一方で、世界各地に多様な「文明」が存在するという考え方もある。西欧社会が唯一の文明ではなく、言語、歴史、宗教、習慣、制度、主観的な自己認識などに起因する社会の輪郭が文明であり、常にある一定のまとまりを持って存在しているというものだ。

対して「文化」とは何か。ラテン語の「colere」に由来する概念で、「耕す」「培養する」といった意味が本義である。「文明」としばしば対比されて用いられるようになったのは、一八世紀後半のことだろうか。物質文明に対して精神文化があり、普遍的な都市文明に対して地域固有の文化があるといった表現を例示すれば分かりやすいだろう。

文明と文化の関連は、システムとサブシステムと考えると分かりやすい。文明は、個人や国家を越えた包括的なアイデンティティ概念であり、地域や個人に属する雑多な文化の要素が、大規模で高度に組織化され、制度化され、統合されている。電化の姿でいえば、各国や地域の食事（主食の種類や煮炊きの方法）や生活習慣（ゴミ処理、買い物の頻度、家の広さ）によって個性的なものが多く生まれる調理機器や台所用品は文化ベースのもの、世界共通に使われているテレビ、エアコン、掃除機は文明ベースのものと考えることもできる。これらは相互に組み立てられて一つの国の電化の姿を創り上げているのである。

普遍性と個別性

わが国の「電化」を歴史的に考える際も、「文明」と「文化」の関係を意識することが必要だろう。

産業革命を経て、西欧文明の生み出した近代化を、世界各国が競うようになった。その中で、エネルギーをめぐる競争が顕在化する。先行する蒸気機関などの外燃機関に対して内燃機関が、ガスや油を燃焼する仕組みに対して電力をエネルギー源とするシステムが対抗した。

大量生産と大量消費を基本コンセプトとする二〇世紀文明にあって、私たちは多くの領域で電気をエネルギー源とし、電気の消費がなければ成立しない生活空間と社会を構築してきた。大正時代頃から、豊かな家電製品にあふれる住まいを理想に「家庭の電化」が喧伝された。戦前戦後を通じて、米国的な生活様式があこがれとなる。高度経済成長につれてマイカーとともに、電気洗濯機やカラーテレビなどが、各家庭に不可欠なものとなった。これらは日本だけの事情ではない。二〇世紀に人類が生み出したすべての文明は、より上位の概念で包括するならば、電気に依拠する「文明」であると捉えて良いだろう。

ただ一方で、地域ごとに固有の生活文化や社会システムが継続される中、「文化」に由来する「電化」も進展する。前述した調理機器（炊飯器）や台所用品（ディスポーザー）以外にも、わが国でいえばカラオケのシステム、ヘッドホンステレオ、温水洗浄便座など、日本人の生活の中から生み出され、世界に流布した家電商品がある。また、電気こたつ、日本語に変換するワードプロセッサーの類など、日本独自の進化が

日本の文化から生まれた製品が世界に広まったウォークマン®（写真は初代）
（提供＝ソニー）

進んでいるものも多い。一方で、わが国固有のアイデアだが、うまく普及しなかったシステムや商品もあるだろう。

もっとも情報の伝達と更新される速度が、以前とは比べるまでもなく速まった今日の世界においては、さまざまな文明の価値観と、さまざまな文化の所産が混在してきている。従って、戦後の電化史を語る際にも、世界的な普遍性、すなわち「電化」における「文明史」の側面と、日本独自の固有性、すなわち「電化」における「文化史」の双方について述べていかなければならないと思う。

さらに、戦後の電化史を語る際には、それがたくさんのトライ・アンド・エラーの集積であるということも見逃してはならない。すなわち、戦後の電化製品の歴史とは、数年先を見越して考えた新たな商品やコンセプトが、市場の荒波の中で陳腐化・淘汰されながら、真の独創だけが生き残っていくプロセスともいえる。

都市化の諸段階

都市は、人類文明がもたらした究極のプロダクツである。叡智を集めて構築した制度や機能、多様なライフスタイルのすべてが都市に集積し精査される。一方で人類の生み出したほぼすべての生産品が、都市において展示され、膨大に消費される。

国連の人口部は、全世界における都市部（Urban）と地方部（Rural）の人口比率が、二〇〇八年に均衡するに至ったと推計している。とりわけ変化の割合が顕著なのが、アジアの諸都市だ。伝統的に村落に広く居住する生活文化があったがゆえに、村落など地方部の人口比率が欧州や南米などと比べると高い。しかし今後、アジア各国においても急激な都市化が進み、二〇二三年には都市部と地方部の人口比率が半々になると推計されている。

対してわが国では、人口減少と高齢化社会の到来が予測されている。限られた人口で、開発を進めてきた国土全体を維持し、マネジメントすることが求められるのは言うまでもない。機能集積を高めてきた都市のあり方を模索する一方で、空洞化が懸念されている郊外の住宅地や地方都市の行く末にも目を配る必要がある。都市部と地方部の新たな関係性を構築することが、これからの日本の社会を見直すうえで、大きな課題となっている。

都市への転換を表す言葉である「都市化」に関しては、四つの段階、「都市化」「郊外化」「逆都市化」「再都市化」のサイクルが発生するとみる考え方が有力である。第一段階では村落や地方から中心都市に人口が移動し、近代的な産業都市が誕生する。第二段階では面的に都市が拡大して中心都市から郊外の住宅地への人口移動が加速する。さらに第三段階では中心都市の空洞化が進み、都心部の人口減少が起こる。しか

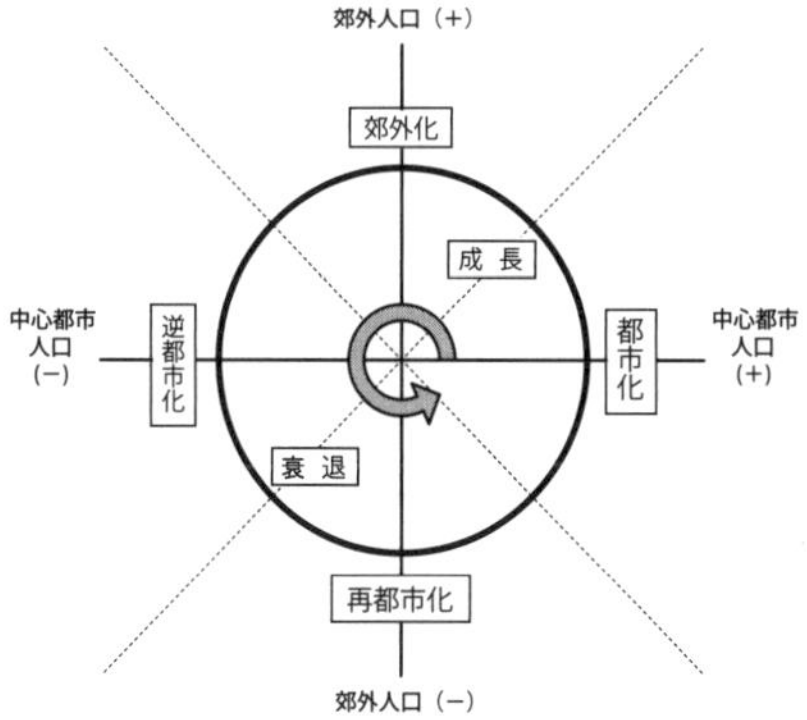

都市化のサイクル
（出典＝ L.H.Klaassen ほか（1981））

し第四段階において、再度、都市中心部への都市化、すなわち「リ・アーバナイゼーション」が始まることになる。

日本の都市を考える場合、産業都市を目指した明治時代の主要都市が第一段階に当たるだろう。次に日露戦争の後、第一次世界大戦を経て市域を拡張すると同時に郊外化をはかり、面的な拡大をはかることで産業都市化を押し進めた大正時代から昭和戦前期が第二段階に当てはまる。そして、戦後復興を経て、高度経済成長の過程で私たちは第三段階に入る。主要都市の都心部はビジネスだけに特化、人口が激減した。同時にこの時期には、都市的な生活様式を求めて、日本中の村落が「都市化」する。ようやく人口減少の予測が顕在化した二一世紀になって、わが国の都市は、新たな可能性を模索する第四の段階に入ることになった。

電化の諸段階と文明の未来

「都市化」「郊外化」「逆都市化」「再都市化」という都市の流れを踏まえて考えた場合、日本の「電化史」を捉える際にも、四つの段階を想定することが可能ではないだろうか。ここでは、電気事業者が地域ごとに勃興、都市部などで限定的な「電化」を具体化した明治時代の「第一の電化」、都市に人口集積が進む中で郊外に電気を供給、さらに電気事業者が合従連衡を重ね、最終的に国土の隅々にまで電気を送ることが可能な供給システムを完成させた「第二の電化」、高度経済成長を果たす中で安定供給が実現、国民の誰もが停電などが極めて稀な生活を謳歌するに到った「第三の電化」、そしてスマート化や再生可能エネルギーの利用も含めて人口減少期における電気供給と電気消費のあり方を模索せざるを得なくなった二一世紀初めの時期を「第四の電化」と呼ぶことにしたい。

「世界的な人口爆発」と「日本国内の人口減少」の狭間にあって、大量生産と都市における大量消費を肯定してきた二〇世紀の人類文明の所産である日本の諸都市が、今後、どの方向を目指すか。私たちの困惑と試行錯誤は、時代を先取りしている可能性がある。なぜならば、爆発的に都市への人口集中と、私たちが経験した以上の速度で都市化を進めているアジア各国の諸都市も、いずれ日本と同じ道を歩む時がくる可能性が高いからだ。

私たちは二〇世紀を通じて、電気がなければ成り立たないライフスタイル、社会、都市、国家、そして電気がなければ成り立たない文明を構築してきた。それは、心と身体の電化であり、ライフスタイルの電化であり、社会の電化であり、都市の電化であり、国家の電化であった。今後、私たちは、心と身体を、ライフスタイルを、社会を、都市を、国家を、そして文明そのものを再度、電化し直すことが求められる。言い換えれば、二一世紀の価値に基づく「リ・エレクトリフィケーション」を考える時期にあるといえるのではないだろうか。

そこにあって、都市と電化、文明と電化の未来を見据えるためにも、来た道をたどり直す視点が必要である。過去の成功や失敗、あるいは実現しなかった可能性、普遍性と固有性のはざまにあって見いだされた挑戦など、先人の創意工夫に示唆を求めることが不可欠である。

歴史は螺旋形を描きながら、しばしば類似の時代状況に陥るものだ。私たちは歴史を通し、未来を紡ぎたい。今日の縮小社会、喧伝されているスマート化の次に来るであろう「次世代の電化」にかかわるキーコンセプトの種子は、意外と過去の経験の中に埋もれているはずだ。

二．都市と電化

都市化と第一の電化

それでは、こうした都市の歩みと電化の歩みを照らし合わせながら、「都市化」のどの段階で電化にどのような影響があったかを確認し、最終的にこれからの時代に顕れる「再都市化」と並行するであろう「第四の電化」の姿を考えてみたい。

まず、工業化を伴う近代国家の誕生によって、世界の主要な町は単なる行政・商業集積地から今日の都市の原型である「都市」へと変わった。一方、電化について見てみると、一八七八年のエジソン電灯会社設立やロンドン電灯会社、ドイツエジソン社、東京電燈など世界の主要都市でほぼ同時並行的に電燈事業が始まった。初期の直流配電による地産地消の「第一の電化」と都市化の始まりがほぼ一致するのは、当然初期の都市化という現象そのものと無縁ではない。

さまざまなタイプの顧客と資本が集い、次の可能性を探していた当時の都市があったからこそ、まだまだ未完成で実用レベルではない電球や電化機器をビジネスとしてやってみようという機運が生まれたのである。そしてその機運は全国レベルの電化や家庭電化の本格化につながっていく。

欧州の都市にはエジソンの名前を冠した電燈会社がいくつかあったが、その一つドイツエジソン社は、エジソンから商標を買い取ったユダヤ人実業家エミール・ラーテナウが作った電機メーカー（後のＡＥＧ社）が母体であり、その後の欧州の「第二、第三の電化」の牽引役の一つとなった。また東京という都市を活動の場としていた東京電燈は、電気事業の普及を経営の大きな目的とし、全国各地で「第二の電化」を実現していた。すなわち、初期の都市の持っていた活力が、未熟だった「第一の電化」を生み出し、さらに、第二・第三の電化のエネルギーとなったのである。

1878 年	ニューヨークエジソン電灯会社
1882 年	ロンドンエジソン電灯会社
1883 年	ドイツエジソン社 東京電燈（1886 年営業開始）
1887 年	神戸電燈
1888 年	大阪電燈 京都電燈

世界の主要電灯会社の起業

郊外化と電車

「第二の電化」＝さまざまな地域やユーザーに電気の利用が広がっていく時期と、都市としての「郊外化」についてそのつながりを見てみよう。

近代国家において「国のどこでも電気が使える」という状況が生まれたのはそう古いことではない。電気のふるさとともいえる米国は都市機能の密度が低く、国土の多くを占める農村の本格的な電化は一九三〇年代後半にルーズベルトがニューディールの一環として農村電化組合の設立を応援し、その電源調達手段としてＴＶＡ（テネシー渓谷開発公社）を公共投資として行った時に始まり、わが国において全国にほぼ電気が行き渡ったのは米国に先んじて一九二〇〜三〇年代のことであった。

一方、「郊外化」が初めて登場するのはもっと早く、一八九八年、英国人ハワードの「田園都市」の提唱からだが、世界のどの都市でも郊外に家を建て、鉄道で通勤するという都市モデルが標準となり、日本でも古くは渋沢栄一が日本型の田園都市を唱えた。

まず関西では、大正年間から阪急・阪神など電鉄会社が路線の開業とともに沿線での宅地開発・電燈事業を合わせて行い、今日の主力電気事業の源流の一つとなった。大きな初期投資を伴う電鉄事業では固定費を早期に回収する助けとなる事業が必要であり、宅地開発による人口増や電燈事業による増収が優れた経営スタイルだったといえる。

これに対して戦後の沿線開発が多かった首都圏の事情を見てみよう。代表的なのは五島慶太率いる東京急行による「多摩田園都市」の構想がそれであり、五島は一九五三（昭和二八）年、住宅不足解消のために多摩西南部一帯の未開発地を開発するという趣旨の「城西南地区開発趣意書」を作り、川崎・横浜（後の田園都市線沿線地域）の地主五八名を渋谷本社に招いたうえで、自ら説明したという。

東京急行の基本的な開発手法は、広大な土地を入手し、鉄道開発と並行して区画整理組合を数多く立ち上げ、宅地化・郊外都市化を推進するもので、当時この地区が多摩川梨の産地として知られていたことから「ペアシティ（梨の街）」と呼ばれていた。

1960年代、開発初期の東急たまプラーザ駅周辺
（提供＝東京急行電鉄）

取り掛かりは大井町線の延伸、さらには現・田園都市線溝の口〜長津田間の開通、そして中央林間までの延伸は、すべてこの沿線開発によって作られた路線であり、今やこの地域全体が首都圏を代表する優良住宅地となっている。関西との違いは、この時期すでに九電力体制が出来上がっていて、電気事業までは展開しなかった点である。

逆都市化と産業電化

都市化から郊外化へと進んできた世界の巨大都市は、一九七〇年代から都心の空洞化やドーナツ化現象という「逆都市化」の時代を迎える。世界の多くの大都市・地方中核都市で都心機能の分散が進行し（場合によっては行政自身によって企画され）、副都心の形成や郊外への行政、商業機能の移転などが見られるようになった。

わが国にはそうした「逆都市化」を象徴する「工場等制限法」がかつてあったが、当時の問題意識としては都市の過密による弊害や産業公害を減らし、農業中心の地方との格差を縮小するということであった。

工場等制限法が首都圏（首都圏の既成市街地における工場等の制限に関する法律）に適用されたのは一九五九（昭和三四）年、近畿圏（近畿圏の既成都市区域における工場等の制限に関する法律）が一九六四（昭和三九）年となっているが、確かにそれ以降、一定面積以上の工場立地ができなくなったために首都圏と近畿圏の工業出荷ウェイトが一五年間で三％下落するなど、工場の地方分散が続いた。この原因としてはこの法律だけでなく、各種の大気汚染規制や、都心の工場騒音に対する反発などで中小企業を含めて都心にいづらくなった、ということもある。

一方で、この法律の副作用も大きかった。特に近畿圏では、立地制限の間に産業構造の転換に乗り遅れたこともあって製造業の衰退が激しく、その傾向は二〇〇二年の工場等制限法廃止後も慢性的に続いている。こうした都心の産業用電力需要の減退と歩調を合わせるように、都市部湾岸にあった発電所も、更新時期を迎えると、都市部ではなく遠隔地に立地されるようになり、電源地域としての大阪湾岸も主力ではなくなった。

こうした中、産業のエネルギー利用という面で見ると工場等制限法による逆都市化が工場のエネルギー利用革新、後の言葉でいう「スマート化」につながった面も大きい。大規模立地が不可能になった東京や大阪では、コンパクトな敷地で合理的な生産設備が求められるようになり、小型貫流ボイラーの多缶設置によるコンパクト化と効率向上や、操作性と品質の向上を実現するための熱プロセスの電化など、あらゆる生産用機器の小型化・高性能化などが進んだ。今後さらに工場内の未利用熱を活用するためにはヒートポンプの導入など、高効率機器の活用が期待される。

また、工場が立地できなかった分、都市の情報化・サービス化が進んだこともエネルギー技術革新に大きな影響を与えた。東京・大阪には業務用ビル、大型店舗が一段と集積し、特に石油危機以降はそれぞれのエネルギーシステムの効率化、省エネ化が飛躍的に進んだ。

第四の電化～再都市化の姿

ここまで都市化から郊外化、逆都市化という近代都市の流れを、第一の電化、第二の電化、第三の電化と並べて見てきたが、二〇一五年現在、世界とわが国の都市は巨大都市、地方都市ともに再び都市への機能集約、人口回帰、活動高度化という「再都市化」の時代を迎えている。その要因を整理し、その中での電化の姿について考えてみよう。

再都市化は主として二〇〇〇年代以降の先進国において起こっており、多くは経済の成熟化（低成長化）や人口構成の高齢化と無関係ではない。

成熟化はビジネスのサービス化や情報化・知識化と直結しているので、ビジネスの場としての都心は再び価値を増し、一方、高齢化によって郊外型生活が困難になった人々は再び都市の利便と機能性を求めて集まる。わが国における前者の典型は金融とサービスの集積地である東京であり、後者の典型は高齢者の居住の都心シフトによるコンパクト・シティを目指す富山市などである。

それでは、再び起こる都市化の中でのエネルギーとはどのような姿になるのだろうか。大きく二つの特徴に分けて考えてみた。

第一に、都市は人口減少の中にあっても集積密度が高く、多くの場合高層化しており、かつ高齢者のウェイトも大きくなるため、コンパクトでかつ人間の動作品質に左右されない安全確保が要求される。そこでは保安に配慮が必要な燃焼系エネルギーに頼るよりも、ヒートポンプや高効率機器による「さらなる電化」にならざるをえない。また、現在の移動手段の多くを占める自動車は分散型の燃焼系エネルギー利用だが、本質的に高齢者の多い都心のシステムには不向きであり、ここでもより安全で取り扱いやすい電動車両（乗り合い・個人）へのシフトが志向される。

第二に、成長経済ではない「再都市化」の時代において、電化傾向がいかに高まっても、それに見合うインフラを拡大投資することは経済のバランスから見て簡単ではない。従って、既存インフラの更新をベースにエネルギーを供給できる利用面でのイノベーションが必要となる。輸送や建物内の移動をはじめとする大出力機器ではパワーエレクトロニクス革新による省エネルギー、ビルや家庭においては空調をはじめさまざまな機器で需給調整に貢献するデマンド・レスポンスや「見える化」などがそれに当たる。さらに、再生エネルギーや蓄電池のイノベーションとを合わせるとスマート技術といわれるソリューションとなる。

すなわち、「再都市化」の中での諸条件を満たすことのできるエネルギーは現在の姿から進化した電気以外にない。それこそが「第四の電化」なのである。

先進モデルへ進む日本の電化

再都市化の中での電化＝第四の電化とは、「再都市化」の制約をイノベーションによって解決し、既存のストックをうまく使って都市全体に豊かさを届けられる電化といえる。それは、これまでの第一の地産地消の電化が「場所の電化」、第二のさまざまな地域やユーザーに電気の利用が広がっていく段階が「国土の電化」、第三の電気利用の広がりが「生活と仕事の電化」と呼べるとすると、まさに「都市自身の電化」と呼ぶべきものである。

第四の電化を可能にするイノベーションの鍵は、第三の電化の原動力であったマイクロエレクトロニクスやヒートポンプ革新に加えて、高効率化に寄与するパワーエレクトロニクスとエネルギー利用と人間を結びつけるスマート化やデマンド・レスポンス技術が握っている。これら二つについてその歩みと展望を見てみよう。

パワーエレクトロニクスは、電力用半導体素子と制御技術の発達により発展した「効率よく仕事をする技術」であり、その適用範囲も電力系統の周波数変換から電源装置、モーターの制御、家庭用電化製品に至るまで大きく広がっている。

その技術が最も真価を発揮している分野が人やモノを運ぶ鉄道である。減速時にエネルギーを回収する回生ブレーキは、パワーエレクトロニクスによって実用的なものとなり、今まで捨てていたエネルギーを回収・再利用できるようになった。回生ブレーキは電気自動車やプラグイン・ハイブリッド車はもちろん、エレベーターなどにも応用されて、大幅な省エネルギーに貢献している。

また、ＩＴの発展によりエネルギーの使用状況を分かりやすく「見える化」し、今まで無意識に使っていたエネルギーを使用者側から積極的にコントロールする試みも始まっている。都市全体でエネルギーの利用を最適化しようとするものであるが、「けいはんな学研都市」をはじめとするいわゆる４地域実証では電力需要を需給状況に応じて消費者側から抑制するデマンド・レスポンスの実証試験が行わた。これは、新しいインフラがなくても需要サイドの力で安定供給を実現しようとする「第四の電化」を象徴する試みといえる。

デマンド・レスポンスの実証試験が行われている
「けいはんな学研都市」
（提供＝独立行政法人都市再生機構）

未来の日本の姿を思い描くと、一段と進んだ「再都市化」の中で、若い夫婦、子供、お年寄りがそれぞれ優れた省エネルギー機器・システムを使いながら、共有すべき乗り物や一人一人の空間をうまく組み合わせて生活していくことになると思われる。それを支えるのは、日本企業を中心とするエネルギー技術のイノベーションに他ならない。その姿は早晩、世界のどの国・地域でも求められるようになるものであり、それを発信することができれば、日本らしい「第四の電化」の先進モデルになったことになるのではないだろうか。

コラム①

街のあかりをめぐって

街をどう照らすか、には電化のお国ぶりがあらわれる。

かつて米国の電化の象徴といえば電灯による大規模なライトアップであり、街を照らすあかりこそが米国の統合と繁栄の象徴であった。一方で、一七〇〇年代からガス灯の都市照明があった欧州でも一九三〇年代には当時の電灯会社が積極的に支援して電灯都市照明が普及した。建物に投光するタイプの発祥はこの時期の英国にある。第二次大戦下、電力が不足した欧州では電灯使用の制限により都市照明が衰退した時期もあったが、一九六〇年代以降白色系のメタルハライドランプ、暖色系の高圧ナトリウムランプといった新技術もあり、再び都市照明は活況を呈していく。

それに対して日本では、電気の始まりとしてよく錦絵に出てくるアーク灯の

光のルネサンスの御堂筋イルミネーション

点灯が一八七八年で、以降、一九三〇年代には都市照明が盛んに行われた。戦後復興期には蛍光ランプも普及し、一九五二年の大阪城や一九五八年の東京タワー（この年開業）がこの時期の代表的なものとして挙げられる。

この時期は大都市、地方都市とも中心街の商業地が活況であり、各都市の中心となる百貨店のショーウィンドウ、商店街照明も高度成長期の象徴となった。地方都市では戦災から再建されたものを含めて城郭のライトアップが多く行われたのも特徴的である。

それから五〇年あまりを経て日本の都市照明は今新たな展開期を迎えようとしている。まず見られるのは、都市照明自体のコンセプト変化であり、建物単体から都市景観自体や広がる都市全体を対象にしたものへの転換や、官民が一体となった街の賑わいづくり、観光振興効果を目指した光の街づくりが進められるようになった。

これは時代を経て都市照明を人々の都市アイデンティティ、安全の向上、都市全体の美化に使おうという動きの顕れであり、中でも期間限定のイベントとして大都市に定着した東京・丸の内イルミネーション、神戸・旧外国人居留地のルミナリエ、大阪・中之島&御堂筋の光のルネサンスなどが大きな成功を収めている。

このほかにも、建物などに映像を投影する3Dプロジェクションマッピングの登場など、都市照明の多様性は増している。これらは、演色性の向上や価格低下が実現したLEDをはじめとする光源のイノベーションがサポートしていることは言うまでもないが、これが日本らしい街と賑わいを取り戻す助けになることが期待されるところである。

三、模倣から独創へ

自生する模倣者

日本の戦後の家庭電化の歩みについて、その独自の価値や未来への発展の源をさぐりながら振り返ろう、というのが本書の趣旨だが、その初期の断面から見始めると、米国以外の世界中の国々がそうであるように日本の家庭電化の歩みも「模倣」から始まっている。

米国でゼネラル・エレクトリック（ＧＥ）社が冷蔵庫、洗濯機、掃除機、ドライヤー、アイロンといった数々の家電機器を開発し、各都市でエレクトリック・ショー（トレードショー）を展開したのは一九二〇年代から三〇年代にかけてのことであった。いわゆる米国型ライフスタイルの確立期であり、ＧＥはまだなじみのない家電機器の大規模な実演と量産効果による価格の引き下げで次々と家電の市場を作り上げていった。

ＧＥは、世界各国への家電文化の展開にも力を入れた。一九一〇年に発明された初

1936年、ダラスで開催されたGEトレードショー
（提供＝GE）

のタングステン電球「マツダランプ」の日本での展開では、パートナーとして日本の電気の父ともいえる藤岡市助を創業者とする電球の代表メーカー東京電気を選んだ。その後の家電の展開期に東京電気は芝浦製作所と統合して現在の東芝（東京芝浦電気）となり、自動的に東芝が日本における「フロンティア模倣者」となった。一九二〇～三〇年代における東芝の主な開発・販売製品を見てみると、アイロン、電気スタンド、扇風機、洗濯機、冷蔵庫など実に多岐にわたり、ラインアップだけならばそのまま日本でのエレクトリック・ショーができるほ

どである。

しかしながら、この時期のわが国における「フロンティア模倣者」は、アイロン、電気スタンドといった一部の商品を除けば大きな市場を獲得するには至らなかった。『にっぽん電化史』でも述べたようにこの時期の日本はまだ所得の格差が大きく、富裕な家庭ではお手伝いさんがいる場合が多かったこと、「電気に家事をまかせるなんて」という「婦徳」という社会通念から電化への抵抗感が大きかったこと、合わせて大衆に家電が普及するには日本の所得水準があまりにも低かったことが原因である。

むしろこの戦前の時期に注目すべきは、さまざまな模倣者が日本国内各地域に「自生」してきたことである。電球、ラジオといった普及がある程度進んだ電化製品を作ったのは必ずしも東芝のような大規模企業とは限らなかった。各地域には機材を仕入れてオリジナルの電球やラジオを作る企業が林立したのである。

自生の理由

戦前の日本では、電球やラジオといった比較的普及した電化製品を中心に、関西をはじめとする地方圏で自生した小さなメーカーによって作られたものが多かった。実はこの時期の多様性こそがその後の日本の家電産業の成長の源であったといえ、実際今日の日本を代表する家電メーカーとなっている松下電器、三洋電機（現・パナソニック）、早川製作所（現・シャープ）は、いずれもこの時期に電球やラジオを作る、いわば地域に自生してきたメーカーであった。

こうした「自生した中小メーカーの奮闘」は、ゼネラル・エレクトリック社（あるいはウエスチングハウス社）という特定の企業によって家電が普及していく米国とは対照的である。

では、この日米の差を生み出したものは何だったのだろうか。いくつかの理由を考えてみよう。

一つは、資本主義の未成熟である。ゼネラル・エレクトリック社は、エジソン商会

三球一号型受信機。1931年に発売された松下電器（現・パナソニック）のラジオ第一号機で、当時45円だった
（提供＝パナソニック）

の時代にこそエジソン自身に経営の才がなかったために十分なマネジメントを行うことができなかったが、重電・家電メーカーとして支配的地位を築いた一九二〇年代以降は近代経営を取り入れ、全米に十分販路を広げられる企業となった。一方、日本においては、資本主義が未発達で、製鉄や紡績のような限られた産業以外は個人商店がまだまだ主流であったため、民間の企業が今日のように全国に商流を持ち、十分に商品を供給することができなかったし、そこに地場の個人事業者が自生する間隙があったとみることが

できる。

二つ目は、各地域で電気の技術を習得し、それで何かをしようとする個人が存在したということである。起業前の松下幸之助が大阪電燈の職工だったことはよく知られているが、そうした経験の中から電気を自らの生業にしようとする人の集まりが当時の日本に見られていた。地域の電気設備や通信設備を作った人たちは戦後のある時期まで「ラジオ商」と呼ばれていたが、彼らは電気をめぐる起業家の卵であり、同時に起業した者への商品や技術の提供者や利用者でもあったのである。

三つ目は、何といっても日本がまだ貧しかったということである。もしも日本という国がこの時点で天然資源を持つ豊かな国であれば、代表的な海外メーカーから十分に製品を買うことができ、メーカーの自生には至らなかったであろう。

このように考えると、戦後の日本の家電産業は、その出自から見ても模倣元の米国にはあり得ない条件、環境下で、豊かなポテンシャルを持って生まれてきたことがわかる。

独創の萌芽

戦後の家電文化の代表として人々の印象に残っているものは何といってもテレビであろう。もちろん冷蔵庫・洗濯機・掃除機は家事の負担を大幅に低減して女性の社会進出を助けたが、主婦以外の生活スタイルや意識にまで影響を与えたという点でテレビの影響は絶大である。

そのテレビは、技術的にはもちろん米国の模倣で始まった。初めて製品化したのは米国であるが、世界に先駆けてテレビ定時放送を開始したのはナチスドイツ（一九三五年）であり、日本での定時放送開始は戦後の成長期である一九五三年（ＮＨＫの受信契約数は八六六軒）まで待たなければならなかった。その後、日本テレビの正力松太郎による街頭テレビを使ったマーケティング、テレビ番組制作の活況、スポーツ中継の人気などと、メーカーの量産効果によってテレビは次第に普及していった。

街頭テレビについて少し触れると、当時テレビ局の経営者である正力にとって、最大の懸案はスポンサーの獲得であったが、当時の大衆文化の勃興期である日本では、

オールトランジスタカラーテレビ「キドカラー」(1968年、右)と1970年前後にキャラクターを務めた「ポンパくん」(左)

(提供＝日立製作所)

一部の富裕層に見られるだけのテレビ放送ではスポンサーのメリットが限られた。そこで、繁華街、主要鉄道駅、百貨店、公園など人の集まる場所に大量の受像機を常設して媒体価値を高めるとともに、キャラバン隊を使った普及拡大活動を展開した。ここまで徹底した施策は米国でも見られなかったものであり、テレビ・マーケティングとしては独創的といえる。そして、模倣として始まった日本のテレビに、技術面での独創の萌芽が現れたのは、一九六〇年代後半のことであった。画質の革新が始まったのである。

一九六八年、二つの新型テレビが発表され

た。一つは日立製作所の「キドカラー」（写真）であり、希土類元素をブラウン管の蛍光体材料とすることで画面輝度を上げるところから名づけられた。もう一つは当時新進メーカーだったソニーが独自開発した「1ガン3ビーム方式」の電子銃を使用した「トリニトロンカラーテレビ」であった。

画質競争はこの後七〇年代の松下（現・パナソニック）の「クイントリックス・パナカラー」の登場でさらに激しくなり、日本人の高画質好きは世界でも群を抜いたものとなった。マイケル・ポーターらの競争戦略論では「優れた買い手の存在はその国の産業の競争力を引き上げる」と言われるが、この画質競争がその後の日本の映像機器産業の大きなエンジンとなったことは間違いない。

ME革命

模倣から始まったわが国家電産業が、明確に世界のトップランナーとなったのは、一九八〇年代前後に家電に起こったME（マイクロ・エレクトロニクス）革命と呼ばれる変化の影響が極めて大きい。

ME革命とは、この時代に飛躍的な進歩をとげた集積回路（IC）や大規模集積回路（LSI）を搭載し、それによる制御機能を持つことでさまざまな電化機器が高機能化したことを意味している。家電分野でいえばME革命によってビデオの録画再生、エアコンの最適制御、炊飯器の最適調理、電子レンジの多機能化など、ありとあらゆることが安くできるようになり、同時に進行したモーターやコンプレッサーの小型化・軽量化とあいまってわが国家電産業は空前のイノベーション期を迎えることになった。

ME革命が日本を中心に起こった理由は主に次の三つによると考えられる。

第一に、世界の家電生産の中での日本の地位がこの時点で高かったということである。特に画像・音響・調理・空調といった制御面の革新が期待できる製品群で日本が極めて中心的な存在であった。

第二に、日本の家電各社のいくつかが半導体製造企業を兼ねており、かつ、いくつ

マイコン搭載したIH炊飯ジャー
（提供＝三菱電機）

ものタイプの企業が競い合ったことである。当時、日立・三菱・東芝・ソニー・松下・シャープといった主力家電メーカーはいずれもME素材であるメモリやLSIなどの生産企業であり、しかも重電・総合電機出身、家電出身、通信出身といった特徴を活かしたME化製品開発を行った。ソニーの映像機器や松下電器の電子レンジはその代表的なものといえよう。

第三に、各メーカーが行ったME型製品開発が目標とした顧客満足が、比較的日本人特有だったり、日本人が特にこだわるものであった点である。ME革命ならではの空調の細やかな制御や風の調整（当時は1／fゆらぎがもてはやされた）、IH炊飯器の炊き上がり具合、録画の多機能化にこの時代の世界各国の人が等しく価値を感じ、満足して使いこなしたとはとても思えないのであり、世界で一番家電と生活が密着している日本人ならではのニーズがここには結実しているといえる。

こうした三つの要因によって日本が世界市場を独走することとなったME革命は、その後の家電産業での日本優位の源泉となった。その優位は、技術の平準化効果と産業自体の汎用品化を生み出した「デジタル化」という潮流の時代まで続くのである。

新たな独創への道

二〇〇〇年代からの家電産業の潮流となった「デジタル化」は、それまでの技術蓄積による競争優位を消し、家電産業の大半を汎用部品の組み立てという極めて付加価値の低い立場に追い込む、わが国にとって大変厳しい結果をもたらした。かつての日本の得意製品であったテレビで世界一、二位は韓国企業であり、わが国の多くの家電メーカーは、テレビの販売不振などで赤字へ転落し、生産からの撤退を表明した企業も相次いだ。また、テレビ以外の洗濯機や冷蔵庫などの白物家電の分野でも途上国企業の猛追が見られている。その姿はかつて日本製カラーテレビによってとどめを刺された一九七〇年代の米国の家電産業とも似ている。

では、日本の家電産業はＭＥ革命下の隆盛からデジタル時代に至ってもう「終わって」しまったのだろうか。もう独創の時代は来ないのだろうか。

それを考える時のヒントはやはり「顧客」「市場」にあり、わが国の家電メーカーが創り出してきた「文化としての電化」にあるように思われる。世界を席巻したＭＥ革命は、もちろん映像・音響機器や冷蔵庫においては世界が一つになっていく「文明としての電化」であり、デジタル化によって新進諸国に取って代わられる。しかしながら、実際に住まい、暮らしている人々の食生活、嗜好、エネルギー事情、生活習慣、身体の特徴、地域の姿は決して一つではない。

わが国でいえば、ふっくらご飯が炊けるＩＨ炊飯器、局部暖房としてユニークな電気コタツや省エネ性の高いヒートポンプ給湯機、聴力や判断力、筋力の低下に対応できる「かんたん家電」、地域のエネルギーを最大限活かすスマートコミュニティー技術やデマンド・レスポンスのような新しいエネルギーマネジメントの取り組みといった「文化としての電化」は、同じＭＥ革命下の製品であっても必ずその国の住まいや暮らし・都市に密着して多様な姿で使われることで人々に幸福をもたらすものである。

そこで試されるのはまさにマーケティングに裏打ちされた製品イノベーション、システムイノベーション能力であり、それはわが国の家電産業が戦後一貫して培ってきたもののはずだ。世界の人々の暮らしを見て、感じて、一緒にそれぞれの国・地域の「文化としての電化」を実現し、さらにその中からデジタルに終わらない「新たな文明」を創造できるのは、世界のどの国よりも国民のニーズに入り込んできめ細かな家電を創り出してきたわが国ではないだろうか。わが国の「新たな独創への道」は始まったばかりなのだ。

第2章　生活と産業の電化

一．住

「すまい」の工業化

戦後電化史を、通常の家電製品史や機械工業史とは違い、人々の暮らしに近い生活産業の歩みから読み解いていくと、どのような姿が見えてくるのだろうか。

「人々の暮らしに近い」とは、色々な見方があるものの、まずは「衣・食・住」ということになろう。このうち「衣」は糸や布、服を作る際にモーターや制御機器を使う製造工程の電化で、「食」はその生産や調理工程の電化で、この『にっぽん電化史』シリーズに登場している。しかし、「住」については、住まいそのものが電化していくのは当然として、住宅産業（ハウスメーカーなど）自身が電化とかかわって語られることは少ない。

そもそも近代産業としての住宅というものは、長く存在しないものであった。古くから家とは典型的な分散型システムで、その土地ごとの大工（あるいはそれをまとめる棟梁）と職人が建て、作るものであったからである。

住宅が産業化するのは、戦後、しかも主に一九六〇年代以降のことであり、この場合の産業化とは「家を作る」という仕事の工業化であった。私たちがよく知る「プレハブ」という言葉は、もともとプレ・ファブリケーション、つまりあらかじめ工場で作る、ということであり、それまで現場で加工されていた柱や屋根や梁を、鉄鋼であれプラスチックであれ木材であれ、工場生産することで品質の向上・均一化、規模の経済の実現、工期の短縮を実現することに他ならない。日本のハウスメーカーの中にはもともと木材生産・加工会社であったもの（大和ハウス工業、ミサワホーム、住友林業）、化学メーカーであったもの（積水ハウス、積水化学工業、旭化成ホームズ）が多くあるが、それはそれらの基本製品の工業化こそがハウスメーカーの誕生と成長であったこととと関係している。

現場でカンナ削りをしていた柱が工場製の鉄骨や木材になり、しっくいの壁が化成品のパネルになりといった工業化が進む中で、あわせて必要不可欠だったのが流し台、

プレハブ住宅の原点「ミゼットハウス」
（提供＝大和ハウス工業）

洗面化粧台、ドア、換気扇といった「形成部品」の標準化と工業化であった。それらの製品がひと通りそろい、しっかり流通システムに乗って現場に届いてこそ、「家の工業化」が可能なのである。そしてその部品の一つに、実は戦前まではさほど家の中で大きなウェイトを占めていなかった電気を安全に使うための設備の工業化、すなわち家庭用電気配線と分電設備の標準化部品も存在していたのである。

家庭電気安全の歩み

今日家庭用を含む低圧電気設備での漏電、

感電やそれによる火災は、災害時を除けばほとんど発生しない。しかしながら、戦後しばらくの間、家庭の電気安全は決して当たり前のものではなかった。家庭電気文化会の会誌『新生活と電気』一九五二年九月号では、研究者、メーカー、メディア、電力会社の家庭電気安全担当の座談会記事があり、「家庭の配線の安全にもっと関心を持ってもらわなければ。器具も配線もまだまだ危ないものが多く、工事店が蛍光灯の粗悪品や、電線も今にもだめになりそうなものを売っている」という発言がみられる。

例えば関東大震災以降、多くの家で防火建築として網状の金物を使ってモルタルを埋め込んだラスモルタルと呼ばれる壁が増え、電気の普及とあいまって絶縁性低下・漏電の頻発を招いた面もある。大きな災害としては、一九四九年、国宝・法隆寺の金堂壁画の焼失も漏電火災によるものであった。

家庭電気の危険は、大きく三種類あると考えられる。一つは感電であり、電流が人体を通じて大地に流れること、二つめは短絡であり、電気の流れが本来電気を使う負荷ではない箇所で回路を結び、大量の電流が流れることで危険が生じること、三つめは過負

法隆寺金堂壁画の焼失を報じる新聞紙面
（提供＝毎日新聞 1949 年 1 月 27 日付）

荷による大電流であり、いわゆるタコ足配線での電線の過熱などがこれに当たる。

感電防止は、当初は水道管やアース棒を打ち込む接地によって行われていた。電気回路に漏電があっても、接地によって大地に流れ出していれば人体の危険は小さくてすむ。業務用の設備の場合、例えば前述したラスモルタルの建物には消防法で電気火災報知機（現在の名称では漏電火災報知器）の設置が義務付けられている。

次に二つめの短絡や三つめの過負荷に対してはヒューズという器具が使われていた。これは過電流で溶解・溶断しやすい融点の低い金属の合金を回路の途中に置いて、金属が溶けることで回路を切るもので、もともと漏電によって金属が溶けて火災の原因になったものを、逆転の発想で安全技術にした。

ただ、ヒューズは定格電力の二・五〜三倍の過電流で溶断するものの、このやり方では防止できない火災や漏電、感電も多いうえ、間違って容量の大き過ぎるヒューズを入れて火災の原因となるなど問題が多かった。そのため、電気器具メーカーの多くは電流を検知して回路を切る、いわゆる漏電遮断器の開発に取り掛かったのである。

漏電遮断器と標準分電盤

ヒューズでは十分な家庭用電気安全が確保できなかった時代、電気器具（電工）メーカー各社は漏電を素早く検知し、回路を切る漏電遮断器の開発を急いだ。

ここで注意が必要なのは、ここでいう電工メーカー、というのが主要家電メーカーとも重電メーカーともほとんど重なっていないということである。現在、家庭用分電盤の主要メーカーが加盟している日本配線システム工業会・住宅盤専門委員会の会員企業を見ると、河村電器産業、旭東電気、東京キデン、未来工業、内外電機、テンパール工業、日東工業といった企業に大手家電グループであるパナソニック・エコソリューションズ電路と東芝ライテックが続いている。パナソニックと東芝を除くこれらのメーカーの多くは、当初、愛知、大阪、広島といった地方圏でカバースイッチやナイフスイッチという手動型スイッチを製造・販売していたが、まだ利益性が低く、地域密着の要素が多かったために全国規模の企業に集約されずに、独自技術を持つ企業として今日までその地位を保っているのである。

漏電ブレーカーへの挑戦は家庭以外の用途のものも含めて戦後すぐから始まっていた。一九四九年、東京配電は数社のブレーカーについて短絡試験をしたが、遮断の瞬間アーク放電によってフレームの内側一面が火だるまになってしまったという。そこで、その後のメーカー各社の努力は過電流の検知から回路の遮断までの時間短縮とブレーカー自体（モールド）の保護、アーク（火花）の消去に集中された。幸い戦後の

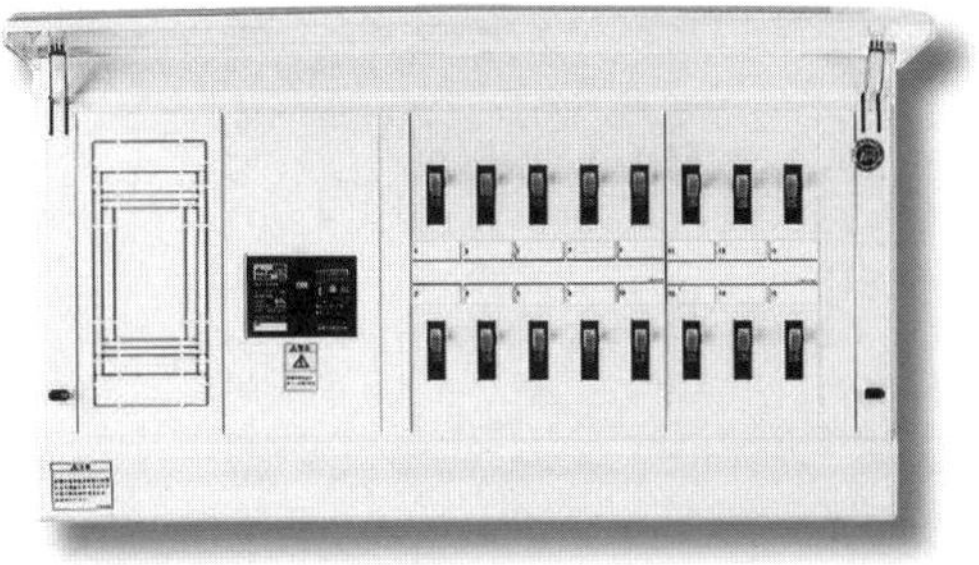

ホーム分電盤

（提供＝日東工業）

物資不足が改善するに従って、電線や金属部品といった部材の品質が安定し、一九五〇年代後半には優れた性能の漏電ブレーカーが次々と製品化されることとなった。

漏電ブレーカーの開発と併行して、電工各社は家庭用分電盤の生産に取り組み始めた。河村電器産業は一九六〇年にホーム分電盤を開発し、日東工業も六二年には分電盤の標準化を推進し始めている。当初の分電盤は業務・産業用も家庭用も注文生産であったが、各社とも次第に回路ブレーカーが一〇前後あり、中心に接地線を持つ今日の分電盤の姿に近づいていくこととなった。

こうしてできた標準分電盤、埋め込みコンセント、屋根裏などへ配線される絶縁性に優れた電線といった製品の数々が、住宅産業による「家の工業化」に大きく貢献することになったのである。

電気工事のユニット化

ハウスメーカーによる家の工業化は、柱や壁、屋根の工場生産化と換気扇、ドア、サッシ、洗面化粧台などの形成部品の大量生産化が可能になったことで大いに進んだ。代表的な家の形成部品であるアルミサッシは、一九六五年の家のアルミ化率が一一・三%であったのが一九七四年には八七・六%と、短期間で完全に標準となった。これに加えてステンレス流し台がそれまでの人造石研ぎ出しなどに替わって普及し、浴槽、ドア、雨戸、ひさしなどが次々と商品化され、一九六〇年代の後半には今日流通しているほとんどの形成部品が見られるようになった。

続いて家の工業化を推し進めるためには、より大きな単位で家の材料を現場に持ち込むことで現場施工を減らし（現場の工程を工場に移行）、品質を上げることが必要となる。いわゆるユニット化やシステム化がそうであり、一九七〇年代からはバスユニット、キッチンユニット、極端な例としてはセキスイハイムのルームユニットなどが現れた。さらに一九八〇年代に入ると、今度は家のさまざまな仕様やデザインに独自の好みの反映や多様性を求める傾向が強くなり、組み替え可能な「システム化」が志向された。

こうした流れの中で、電気工事にもユニット化、システム化というべき仕組みが現れている。

一つは、工場での壁材や天井の生産の時に電線やコンセントを組み込んでしまい、現場の電気工事施工を不要にしてしまう方法である。電気工事図面は本来、部材生産の時点で出来上がっているので、この方法ならば現場施工は最小限の接続で済む。

もう一つは、工場出荷段階ですべての電線を寸法どおりにひとまとめにし、現場でそれらを引き伸ばして施工する方法である。この場合は分電盤に配線を付けて家の中に伸ばしていくだけで短時間の施工が可能となる。

いずれの方法もいくつかのハウスメーカーですでに採用されており、それらの場合はもともと現場で作業されていた電気工事自体がファブリケーション（工場生産化）されていることになる。

今日ほとんどの家で家庭電気安全はしっかり確保され、分電盤には雷のような災害時も安全に回路を遮断できる高性能の漏電ブレーカーと回路ブレーカーが設置されている。こうした進歩は家の工業化と軌を一にしたものであり、その背後にハウスメーカーと電工メーカーの試行錯誤と努力があったことは見逃せない。

電気給湯機

二〇世紀後半の日本では、主にガスや石油を燃料とする機器が、給湯の役割を担ってきた。しかし、二一世紀に入った現在では、エコキュート（自然冷媒ヒートポンプ式電気給湯機の愛称＝「エコ」「給湯」「ＣＵＴＥ」と冷媒の圧縮のようすを表す「キュート」を組み合わせた造語）に代表される電気給湯機も選択肢の一つになり、二〇一三年一〇月には、累計出荷台数が四〇〇万台を突破したという。ガスと石油の二大巨頭の間で、どのようなプロセスを経て、第三の勢力になり得たのだろうか。

本格的な高度経済成長に入った一九六〇年代は、家庭の電化も進んだ時代であり、電力需要は著しく増加した。しかし、昼と夜の間で需要の差が大きく、深夜電力の有効活用を目的とした深夜電力特別料金制度が一九六四年に発足した。この制度に対応する機器としてヒーター式の電気温水器が開発され、午後一一時から翌朝の午前七時までの深夜電力で湯を沸かし貯めておくタイプ（容量四〇リットル前後）が、主に台所へ設置された。一九六〇年代後半からは、メーカー各社が容量の増大に取り組み、一九七〇年代には一〇〇リットル級も登場したが、洗面所や浴室も加えた三点給湯を担っていたのは、ガスや石油を燃料とする従来のタイプであった。

一九八〇年代に入ると、ほかの家電と同様にマイコンの導入が始まり、湯温の設定と通電シフト（残湯量に応じて沸き上げ時間を通電時間帯の後半にシフトするもので、電気料金のマイコン割引）などの制御が可能になり、導入環境が大いに整った。また、

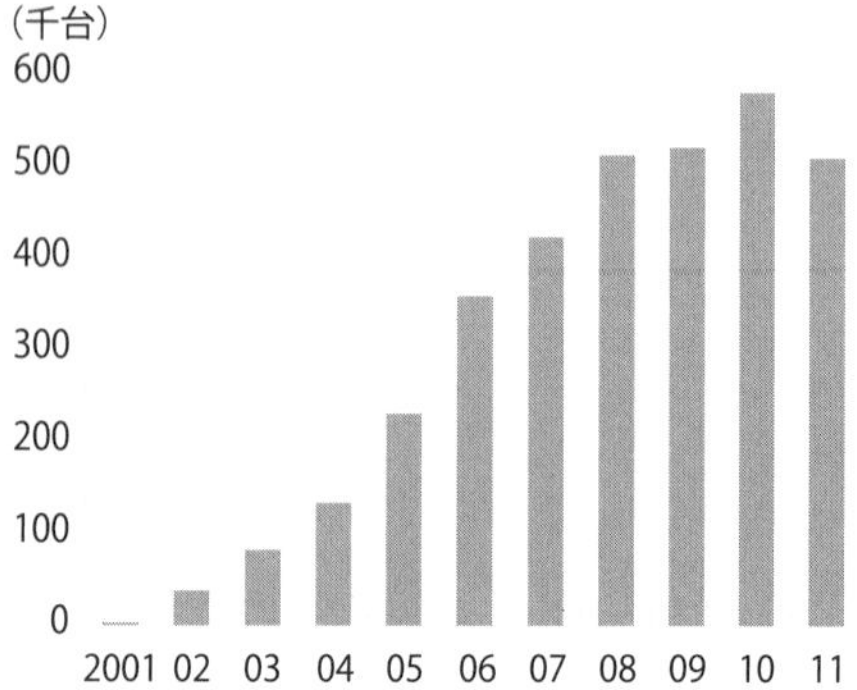

家庭用ヒートポンプ給湯器の出荷台数の推移

四人家族のすべてのお湯がまかなえる三七〇リットル級をはじめ、台所用からセントラル用への移行が始まった。

そして、地球温暖化への関心が高まった一九九〇年代には、ヒートポンプ式給湯機が開発され、投入したエネルギーの三倍以上のエネルギーを得ることができる高効率給湯機「エコキュート」が登場した。「電力中央研究所」「デンソー」「東京電力」を中心に開発されたエコキュートは、自然界に存在する二酸化炭素を冷媒とすることで、高効率化を可能にした。二酸化炭素は、コンプレッサーで圧縮すると、気体でも液体でもない超臨界の状態になり、極めて熱を伝えやすい性質を持っているためである。

このように電気給湯機は、負荷平準化を目的に開発が始まり、料金制度や技術開発の努力によって、セントラル用の給湯機としての基本性能を確立した。そして、省エネや地球温暖化防止に貢献する技術が求められる中でヒートポンプ式が登場し、ガスや石油を燃料とする機器と伍《ご》する位置に到達したことになる。

温水洗浄便座

二〇一二年に公開された邦画『テルマエ・ロマエ』は、古代ローマと現代日本を「風呂」という題材でつなぐ荒唐無稽なコメディーで、同年上半期の映画興行収入のトップとなり、二〇一四年には続編も公開された。その中で観客がわいたシーンの一つに、古代ローマからタイムスリップした阿部寛演ずる浴場設計技師ルシウスが、温水洗浄便座を体験して驚愕《きょうがく》するというものがあった。日本の温水洗浄便座の普及率は高く、七〇％以上に達している。暖房、洗浄、温風乾燥、脱臭などのさまざまな機能を有したこのハイテクの塊は、どのようなプロセスを経て現在に至ったのだろうか。

洋式便器は、第二次世界大戦後に進駐軍が持ち込んだと言われているが、一九六〇年代前半までは出荷の八割は和式であった。しかし、下水道や浄化槽の普及とともに、便器を床に埋め込む必要がなく、所定のパイプにつなぐだけという施工の容易さや工期の短さもあって洋式の普及が進んだ。一九六〇年代後半に入ると、すでに海外で販売されていた温水洗浄便座（医療・福祉用が中心）の輸入や、ライセンスの取得による国産化を図る企業も現れたが、当時の技術では、洗浄に使用する水の温度制御に限界があった。

一九八〇年代に入ると、洋式の割合が和式を上回り、課題だった温度制御もさまざまな分野で搭載が進んでいたＩＣ（集積回路）によって解決された。林良祐『世界一のトイレ　ウォシュレット開発物語』（朝日新書、二〇一一年）によれば、それまで用いられていたバイメタルスイッチを特殊な樹脂でコーティングしたハイブリッドＩＣに置き換えることで、漏電もなく、最適とされる三八度の温度を保持することに成

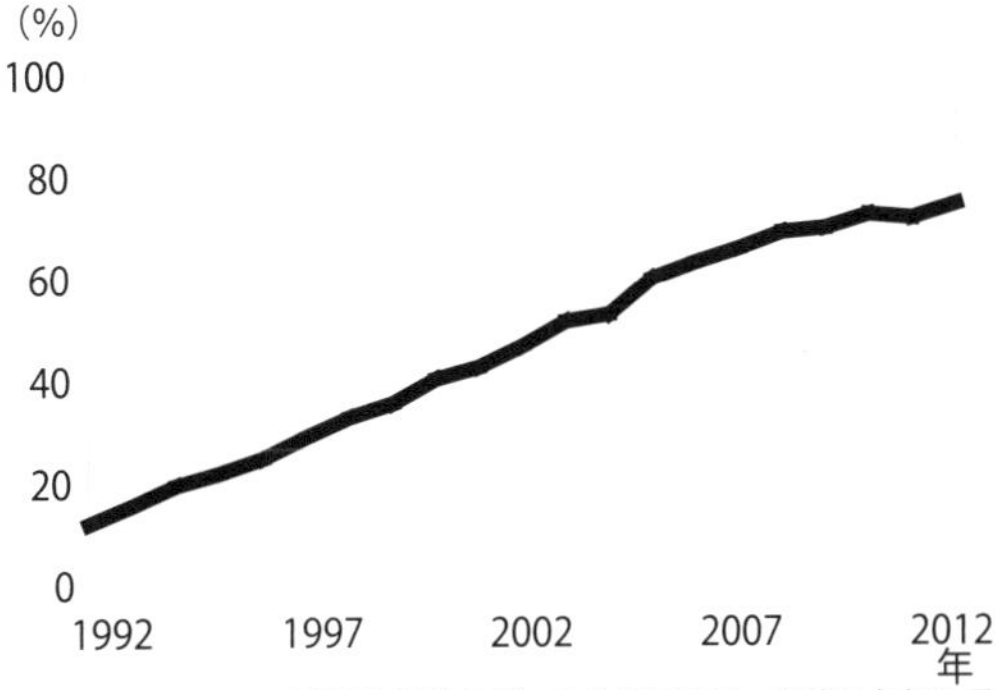

※1977 年以前のデータは各年 2 月、以降は各年 3 月

日本における温水洗浄便座の普及率推移
(出典＝内閣府調査「主要耐久消費財の普及率」より作成)

功したという。ＴＯＴＯの「おしりだって洗ってほしい」のキャッチコピーが話題になり、その存在が広く認知されるようになったのは、この時期である。また、一九八三年からは、マイコン制御による脱臭や温風乾燥などの機能が付け加えられ、現在の温水洗浄便座の基本型が完成した。

さらに、一九八〇年代後半には、新たに家電メーカー（パナソニック）が市場に参入したことで、衛生陶器ではなく生活家電としての認識が拡大した。そして、一九九〇年代後半からは、節水や節電を志向した製品も開発されるようになった。

このように日本の温水洗浄便座は、トイレの水洗化の進展とともに、和式から洋式へ変化する中で、新たな制御技術を取り入れて基本型を確立し、現在のように普及したといえよう。

ルームエアコン

夏季の冷房だけでなく、冬季の暖房や梅雨期の除湿のように、日本では通年で使用されるルームエアコンであるが、図に示すようにすでに約九割の家庭に普及し、保有世帯における平均保有台数も三台に到達している。一体、どのようなプロセスを経て、このように不可欠な生活家電の一つになったのだろうか。

日本におけるルームエアコンの普及は、一九五〇年代前半に、窓に直接はめ込むウインドー型から始まった。室内の空気を吸い込み、冷却器で冷却と除湿を行い、吹き出し口から冷風を送り出すという冷房専用であったため、当時は「ルームクーラー」と呼ばれていた。

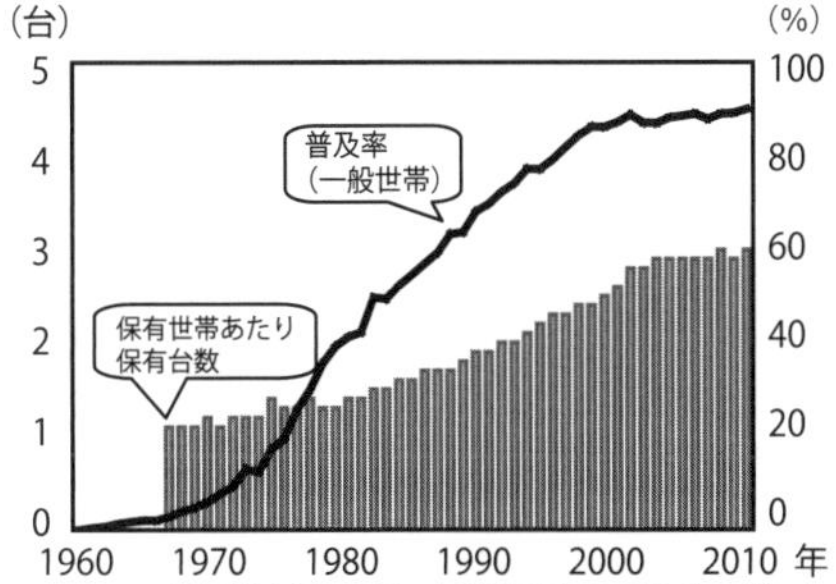

日本におけるルームエアコンの普及率と保有世帯当たり保有台数の推移

（出典＝内閣府調査「主要耐久消費財の普及率」および「主要耐久消費財の保有量」より作成）

一九六〇年代に入ると、室内機と室外機に分離したセパレート型（床または壁に設置）の販売が始まり、騒音の発生源が室外に出されたことで室内の静粛化に貢献し、これ以降の主流となった。現在も名称が受け継がれている三菱電機の「霧ヶ峰」（壁掛け型）の初代が発売されたのは、この時期である。ちなみに同社は、床置き型には「志賀」と「上高地」、窓掛け型には「軽井沢」のように冷涼な避暑地にちなんで命名しており、この点からも冷房が主目的であったことがうかがえる。しかし一部では、室内の空気が持つ熱を室外に放出する冷房のサイクルを逆転することによって暖房を行う冷暖房兼用タイプも発売され、「ルームエアコン」という名称も次第に一般化するようになった。ただし、外気温によって暖房能力が変化するなどの課題もあり、不足した分は付属の電気暖房機などで補うという仕組みで、性能的に十分とは言い難い状況であった。

この後もメーカー各社は研究開発を続け、一九七〇年代に入ると、さまざまな改良を加えたヒートポンプ式冷暖房兼用ルームエアコンの販売が本格化した。また、吹き出し温度、冷暖自動切り替え、除霜などの制御へのマイコンの導入も始まり、さらに石油危機後の八〇年代には、新たにインバーター搭載によって飛躍的な省エネが実現された。これによって、それまではコンプレッサーの入切でしかできなかった室温調整が、インバーターによる回転数変化でより細やかにできるようになったのである。さらにはコンプレッサー自身の効率向上も加わり、それまで使われなかった北海道など寒冷地での機器メーカー・地元電力会社一体となった省エネ性、暖房能力の訴求もあって、今日ルームエアコンは明らかな全国商品となっている。

このように当初は冷房専用で始まったルームエアコンは、ヒートポンプの改良によって実用的な暖房機能を獲得し、マイコンやインバーターの導入によって適切な制御を可能にすることで、基本型を確立したことになる。

「電化」する住宅産業

現代社会において家と電気設備は不即不離なものである。照明や冷蔵、空調のない家はまず存在しないし、家電機器の多くは家の中で使われて初めて能力を発揮する。しかしながら、その作り手はあくまでハウスメーカーと家電メーカーという別業界の企業であり、施工プロセスで電気工事が建築工事に組み込まれることはあるものの、機器自体はあくまで家が建った後に持ち込まれる、元来「後付け」のものである。

ところが近年、その関係が変わりつつある。「スマートハウス」や「エネルギー・マネジメントハウス」の登場である。

「スマートハウス」というコンセプトは、もともと情報通信技術を用いた家電機器の制御によって省エネルギーを実現しようというもので、主に家電・情報通信産業（今日この二つは重なっている場合も多い）による家電制御のための通信インターフェース（エコーネットライト）の開発などが先行して行われてきたし、関連する蓄電性の商品としての電気自動車や家庭用蓄電池も登場していたが、ハウスメーカー各社の関心は必ずしも高くなかった。

事態を大きく変えたのは二〇一一年三月の東日本大震災である。既刊『にっぽん電化史2』に詳述したが、首都圏で計画停電が実施され、さらに電力ピーク時の供給力不足から全国で節電が呼びかけられた。ここに至って「家」という商品の中で「非常時にエネルギーを供給できる」「電気を見える化し、合理的に節電を実現できる」ことの商品価値が上がり、ハウスメーカーは蓄電池や太陽光発電、家庭用燃料電池を組み合わせたものや、見える化・節電支援システムを標準装備した家をコンセプトハウスや実際の商品として提案するようになったのである。

代表的なスマートハウスとして積水ハウスの「グリーンファーストハイブリッド」

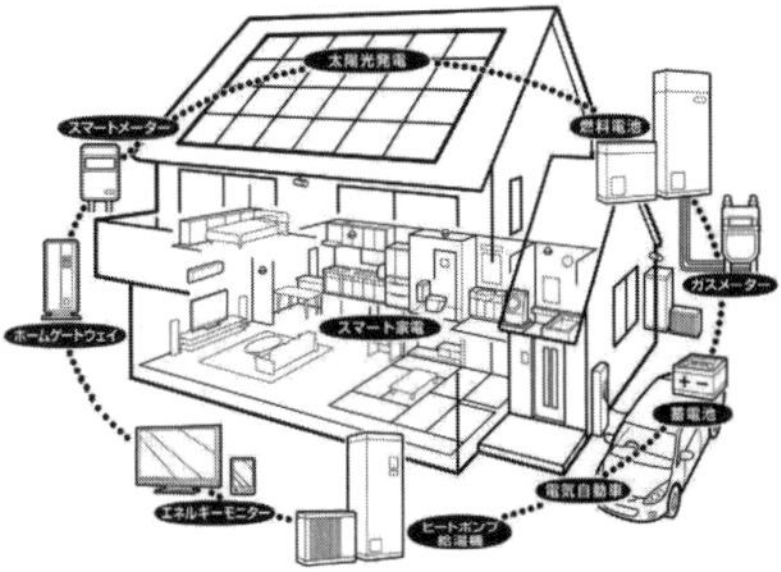

エコーネットにより実現するスマートハウス
（出典＝エコーネットコンソーシアムパンフレット）

を見ると、七〇〇ワットクラスの燃料電池と三キロワット以上の太陽光発電、九キロワット時の鉛蓄電池による三電池システムで電力途絶時の持続能力を高めている。また大和ハウスの「ＳＭＡＥｃｏ（スマ・エコ）」は、太陽光発電、自社グループの蓄電池、独自技術である「Ｄ－ＨＥＭＳ２」などの中から自由に選んでエネルギーマネジメントができるようになっている。

　長く別の産業として歩んできた住宅産業と家電・情報通信産業が、今顧客ニーズに従って融合しようとしている。その姿はいわば「住宅産業自身の電化」ともいえるものではないだろうか。

コラム②

住宅事情と日本の電化

わが国が独特の多様な家電文化を築いた背景の一つに住宅事情がある、ということが以前から言われている。大正年間に電化の先駆けとして登場した郊外電化住宅や和洋折衷の文化住宅の段階ではまだ電化側も模倣の時代であったが、昭和四十年代の公団住宅の時代と日本家電の独創の時代に入ると、家屋と電化が大きく相乗効果を発揮することとなる。

当時都市部のサラリーマン家庭のあこがれの的だった公団住宅は、ダイニングキッチンを持つ四〇〜六〇平方メートルのいわゆる３ＤＫが多く、この層が急速に拡大するこの時代に、家電各社は日本の住宅向けに標準化したコンパクトな洗濯機、掃除機、冷蔵庫、エアコンを市場投入して量産効果を得ることが可能であった。この時代は、これらの製品が新しい時代を代表していたといえる。ほかにも家電製品では電子レンジをはじめ新しいヒット商品が生まれ、「標準世帯に当てれば大きなマーケットになり、投資が回収できる」という計算が大きな助けとなった。そうした成功の裏に日本人が持っていた「小型集合住宅で新婚生活が始まり、戸建に移ってあがり」という一種の単一モデルのすごろく構造があったことは確かである。

しかし、現在のわが国はもはや「標準モデルのない時代」に入った。あらゆる年齢層で単身世帯が増え、共働き世帯や高齢者世帯も多くなって、人々の暮らし方は非常に多様化している。それに対しては、既存の量産製品を改良・変更したものしか出てきていないのが現状となっている。ここでの最大の問題は「家電が新しい生活を代表する、楽しみを生み出すもの」でなくなっていることにあるように思われる。省電力やスマート化は社会的には意義ある技術だが、現状では消費者に新たな価値を届ける力にはならない。

しかしながら見方を変えて現在日本で生まれているこの暮らし方・住まい方

の多様化は、間違いなく未来の中国をはじめアジア諸国の姿となる。それは現在のそれらの市場よりもレベルの高い、巨大な市場であり、それにあわせて新たな製品提案ができれば、それは日本の家電が強さを取り戻す道につながる。これまで培ったモーター、コンプレッサー、情報通信、制御といった技術を集めて飛躍が求められているのである。

二. 交通

電動アシスト自転車

健康や節約、環境などへの志向の高まりを背景に、自転車が再び注目を浴びている。中でも電動アシスト自転車は、一九九三年の販売開始以来、幅広い用途で用いられており、現在の年間生産台数は、原動機付き自転車を上回る四〇万台近くと言われている。そこで、自転車の電化の歴史を振り返ってみたい。

わが国での自転車電化の試みは一九七〇年代に始まり、七九年にはナショナル自転車工業（現・パナソニックサイクルテック）が、電気だけで走行可能な自転車の販売を開始した。しかしながら、道路交通法上は「ペダルの付いた原動機付き自転車」扱いとなり、ナンバー登録・免許取得・ヘルメット着用などが義務付けられたため、本格的な普及には至らなかった。

これに対し、人間のペダルの踏み方に応じてモーターの出力を比例的に発生し、人

現在の代表的な電動アシスト自転車
（提供＝ヤマハ発動機）

力とモーターの駆動力を合わせて走行する電動アシストタイプは、ヤマハ発動機が九三年に発売した「ＰＡＳ（パワー・アシスト・システムの略）」が最初である。これに続いて、ホンダやブリヂストン、パナソニックやサンヨーのように多様なバックグラウンドを持つメーカーが参入したことで、基本性能の向上や小型軽量化などを目指した開発競争が始まった。

その結果、鉛電池からスタートした蓄電池は、ニッケル水素電池を経て、リチウムイオン電池が主流となった。現在は、電池容量の増大に加え、回生充電機能を搭載したタイプも登場し、航続距離の向上に貢献している。また、従来の道路交通法施行規則では、人の力に対するモーターの力の比率が最大で一対一に制限されていたが、二〇〇八年一二月の改正後は一対二となった。これに伴い、より強力なモーターの使用が可能になり、アシストする力が強化された。さらに、通勤・通学への使用の増加、配達業での採用などにより、年齢層や用途、車種の拡大が続いている。また、〇九年七月からは、安全基準を満たす自転車であれば、幼児（六歳未満）を前後の座席に乗せる三人乗りが認められることになり、このタイプの電動アシスト自転車の販売も始まっている。

このように自転車の電化の代表例である電動アシスト自転車は、わが国の法律の枠組みの中で誕生し、人力とモーターの駆動力の融合を最適化すべく技術開発が進んだ。そして、健康や節約、環境などへの志向の高まりとともに普及してきたことになる。

船舶の電化

シニアを中心に大型客船クルーズへの人気が高まっているが、これらの船舶の客室やラウンジなどは、一流ホテルと見まがうほどの豪華な設備で埋め尽くされている。このように陸上と遜色ない環境の構築を可能にした船舶の電化は、どのように進んだのだろうか。

大西洋横断などの本格的な航海が始まった一九世紀前半、照明といえば蝋燭や油燈であった。しかし、一九世紀後半に電灯や発電機が発明されると、照明を電化した船舶の登場が相次いだ。一八七六年には、英国海軍の軍艦「ミノトア号」に警備用の探照灯（アーク灯）と直流発電機が装備され、一八八〇年に就航した客船「コロンビア号」にも、船内照明用の電球と直流発電機が搭載された。

また、一九〇〇年代に入ると無線電信機の搭載が進み、安全航行のために超音波などで深度を図る測深儀も多くの船舶が導入した。そして、一九二〇年代半ばからは発電機の大型化が始まり、この時期に建造された客船では、間接照明や扇風機、エレベーターに加え、電気暖房や電話機なども設置された。同様に貨物船でも、機関部や甲板部用の電動機や荷役燈などを装備した。

1961 年に建造された世界初の自動化船「金華山丸」
（提供＝商船三井）

このように直流電源で進んだ船舶の電化であるが、一九三〇年代の米国では、陸上向けの製品がそのまま使用可能で、電圧変換や保守点検なども容易な交流電源の採用が始まった。この流れは第二次大戦後からわが国へも広まり、一九六〇年代に入ると交流が主流となった。これに加え、船員不足や賃金高騰などへの対策として、操船などの自動化が検討され、船橋から主機を遠隔操作し、機関室内のコントロールルームで機関部の監視や制御を集中して行う世界初の自動化貨物船「金華山丸」が六一年に三井造船によって建造された。同船の反響は大きく、パナマ運河を通行する際に、桟橋から直接主機を操作する姿に驚いた水先案内人がニューヨークに電信を入れたところ、国防長官も急きょ見学することになったという。これ以降、世界各国で自動化船の導入が進むことになった。

また、内航海運における経済性の確保や環境問題への対応を目的にガスタービンで発電を行い、その電力で推進するスーパーエコシップも開発され、動力にまで電化が拡大する動きも、近年は見られるようになっている。

このように照明から始まった船舶の電化は、安全で快適な航海を目指して普及した。そして、直流電源から交流電源への移行後は、経済性や環境性能の向上を図るために、さらに適用範囲を拡大してきたといえるだろう。

自動車の電化①動力

現在、自動車メーカー各社が電気自動車を市場に投入し、東日本大震災以降は、住宅や家電などとの連携により、移動可能な蓄電池として活用する試みも具体化している。自動車の電化は、動力や装置、安全装備などのようにさまざまな分野があるが、その中で動力部分の電化の歴史を見てみよう。

電気自動車の歴史は古く、一九〇〇年代初頭には、内燃機関自動車を上回る台数が世界各地で普及していたという記録が残っている。わが国でも、戦後の石油不足の時代に、プリンス自動車工業（現・日産自動車）が発売したが、石油供給の正常化とともに姿を消した。また、七〇年代や九〇年代にも、大気汚染や石油危機、地球温暖化などへの対策として研究開発や販売が試みられたが、低い電池性能に起因する航続距離の短さやインフラ整備の遅れなどの理由により、内燃機関との差を埋めることはできなかった。

しかし、リチウムイオン電池の登場により、車両性能が向上した二〇〇〇年代後半からは、ゼロ・エミッション電源との連携による低炭素化などを目的に、三菱自動車や日産自動車などによって「アイミーブ」や「リーフ」の販売が始まった。また、二〇一四年からは、電気自動車によるカーレース選手権「フォーミュラE」が、世界各国で開催されており、ルノー（フランス）などが車両の開発を行っている。さらに、

超小型電気自動車「コムス」
（提供＝トヨタ車体）

充電時間の長さの解決策として、電池パック交換方式を採用したスポーツカーの計画もテスラモーターズ（米国）によって発表された。このように高トルク・高出力などの電気自動車の特性を活かす取り組みも行われているものの、本格的な普及段階には至っておらず、動力部分における普通乗用車の電化は限定的となっている。

これに対し新たな動きを見せているのが、一名から二名乗りの超小型電気自動車である。過疎化による公共交通機関の撤退やガソリンスタンドの転廃業、荷物の小口化と配送頻度の増加などを受け、メーカー各社は積極的な研究開発に取り組んでいる。このうちトヨタ車体は、家庭のコンセントで充電可能な「コムス」の販売を一二年七月から開始し、予想を上回るペースで受注を獲得しているという。現在は運用上のさまざまな課題について検討が行われている最中であり、本格的な普及段階ではない。しかしながら、これまでのような既存車両の代替ではなく、ニッチな部分から動力の電化が始まる可能性も否定できない。

自動車の電化②装置

エンジンやブレーキ、車体などの制御から情報通信に至るまで、現在の自動車は多くの電気・電子部品と装置で構成される電化製品の集合体と化しており、稼働には電気が不可欠である。これらの装置の電化は、どのように進んだのだろうか。

自動車の本格的な普及は、大量生産時代の幕開けの代名詞ともいえる「T型フォード」が登場した一九一〇年前後から始まり、一九二〇年代に入ると、バッテリーや直流発電機、ヘッドランプなどが装備されるようになった。そして、自動車用の真空管ラジオも一九三〇年代に実用化されたが、真空管には耐振性や寿命、消費電力などの問題があり、ラジオ以外への展開は研究開発段階で停滞した。このように早い時期から電源は確保されたものの、その用途は限られていたことが分かる。

しかし、一九六〇年前後から電子技術の発展が始まると、電化に向けた動きが再び活発化した。シリコンダイオードの開発によって、高性能・高効率な交流発電機が登場し、ＩＣレギュレーター（電圧調整器）の採用によって、安定した電気の供給が可能となった。カーエアコンや電動式ワイパーが一般化し始めたのも、この時期である。

また、炊飯器や電子レンジなどの家電でもマイコンが導入された一九七〇年代には、排出ガス規制と低燃費対策を同時に解決する電子制御燃料噴射装置が開発された。これは、燃料噴射や点火のタイミング、エンジンの回転数などをマイコンやセンサーによって最適に制御する仕組みであり、それまでの機械制御を根本から変える契機になったことから、自動車の電化の象徴とも言われている。わが国では、「１１７クーペ」（いすゞ）に搭載されたのが最初である。

日本で初めて電子制御燃料噴射装置を搭載した
「いすゞ・117 クーペ」
（提供＝いすゞ自動車）

そして、一九八〇年代以降は安全性や快適性などを向上させる装置の導入が相次ぎ、電気への依存度は、さらに高まることとなった。車速や路面の状況に応じて、コンピューターでブレーキやギア、車体を制御する装置は、多くの車両で標準装備となり、カーナビは、多機能化・高性能化が現在も続いている。

このように自動車の電化は、半導体の登場と関連技術の進歩を背景に一九六〇年代から本格化し、従来の機械制御に置き換わる形で普及した。そして、安全性や快適性などに対する要求の高まりに応じた技術開発により、その適用範囲を拡大してきたことになる。

自動車の電化③安全

最近の自動車のCMでは、前方の障害物を感知すると、ドライバーより先に自動車側でブレーキを操作して衝突を回避するプリクラッシュセーフティシステムが、多く紹介されている。その原型ともいえるクルーズコントロールを足掛かりに、このシステムが形成されるプロセスを見てみよう。

自動車側で速度を制御するシステムの歴史は古く、アクセルを踏まなくても設定した速度を保つクルーズコントロールは、一九六〇年前後から米国の高級車「キャデラック（ゼネラルモーターズ）」や「インペリアル（クライスラー）」などで導入が始まった。これは、希望する速度に達した時点でセットすると、スピードメーターケーブルとガバナーが連動し、機械的に車速を維持する仕組みであった。また、一九六〇年代後半には、セットした速度でのスピードメーターの回転を電圧に変換してコンデンサに記憶させ、この電圧と車速から得られる電圧を比較して、速度を制御する電子制御式が登場した。一九八〇年代に入ると、先に述べたコンデンサがマイコンに置き換わ

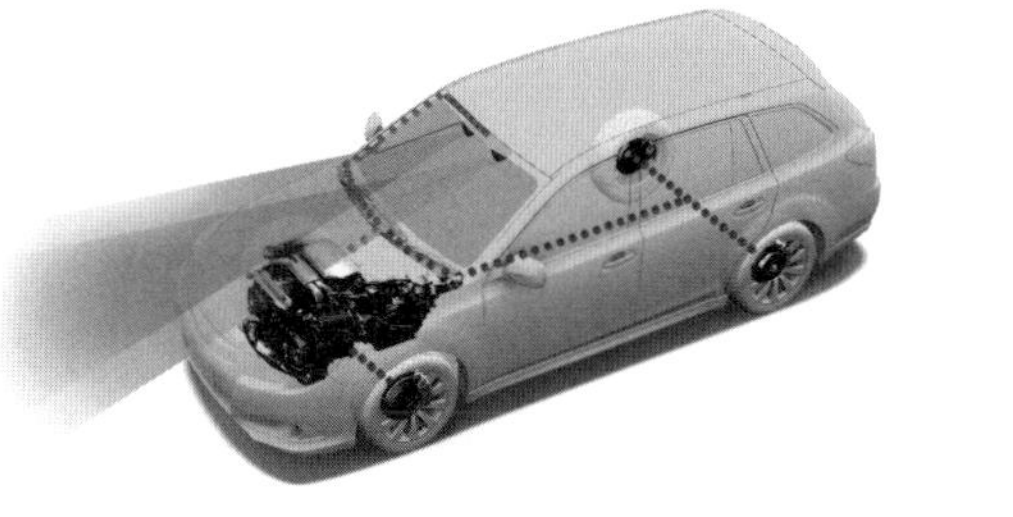

スバル「アイサイト」の仕組み
（提供＝富士重工業）

り、国内でも「アコード（ホンダ）」や「セリカ（トヨタ）」などで採用され、広く普及することになった。

そして、九一年からは運輸省の主導で先進安全自動車の研究が始まり、その一つであるアダプティブクルーズコントロールの開発に各社が着手した。これは、レーダーやカメラなどで前方を監視し、先行車に応じて車間距離を制御する仕組みであり、九七年に「セルシオ（トヨタ）」で実用化された。

さらに二〇〇〇年代半ばからは、さまざまな装置によって得た車両前方の情報を瞬時に分析し、ブレーキを制御する装置を備えた自動車の市販が始まった。当初は、前方に障害物などを感知するとドライバーに警告し、衝突が避けられない段階で自動的にブレーキを掛けて被害を軽減する方式であったが、〇九年以降は、衝突前であっても自動的にブレーキを掛ける方式が登場した。これが、現在のプリクラッシュセーフティシステムである。

なお、自動車メーカー各社やグーグルなどは、速度やブレーキに加え、ハンドルの制御もできる自動運転車の研究開発を本格化させており、一部では公道での実証実験も始まっている。これらが実用化されれば、自動車の電化は、さらに拡大することになる。

三．社会電化

南海ズームカー

わが国の戦後の電化の中で、いわゆる「社会電化」と呼ばれるものがいくつかあり、そうしたものから「日本の強み」とは何かを考えてみよう。

戦後の輝ける社会電化の例として、鉄道ファンの間では有名なものに「南海ズームカー」がある。「ズーム」の語源は大都市近郊のスピード走行から傾斜の大きい登山部分まで、広範囲に速度制御ができることからズームレンズに例えられたものであり、世界でも稀有な性能を持つ。その起源と成り立ちを見てみよう。

わが国は世界でも珍しい多様な民営鉄道による大都市ネットワークが見られる国だが、そのいくつかは都市近郊の主要な神社・仏閣への足を目的としている。近鉄と伊勢神宮、京阪と伏見稲荷大社、京成と成田山新勝寺が代表的なものだが、日本で最も古い民間鉄道会社である南海電鉄の高野線（難波〜極楽橋）もその一つである。

南海高野線のうち、難波〜橋本間は大阪都心と堺市、河内長野市、橋本市などを結ぶ典型的な郊外路線であり、橋本から高野山への上り口である極楽橋までの一九・八キロは、最も急勾配な箇所で五〇‰（パーミル、千メートルで何メートル登るか）という登山電車路線である。この性格の違う二つの路線を直通運転することを南海では「大運転」と呼んでいるが、一九三二年に直通運転を始めて以来、近郊で求められるスピードと登坂力のジレンマに、関係者は長く苦労していた。

そこで一九五八年に開発されたのが平坦地区を時速一〇〇キロで高速走行し、山岳地区では五〇‰の勾配と半径一〇〇メートル級の急カーブに対応して走る世界で初めてのダブル性能を持つズームカーである。こうした性能を実現するため、ズームカーは通常の郊外電車で半数の車両にしかない動力駆動部が全車両に備えられており、急カーブに対応するため南海本線のものよりも全長が短い（一七メートル）車両が採用されている。また、単線で走行頻度が少ないため、下り運転時の回生エネルギーを吸収する装置を変電所に設置している。さらに安全面では急坂停止可能な緊急用空気ブ

山岳区間を力強く走る「ズームカー」

レーキを持つなど、さまざまな工夫がこらされている。ズームカーは現在何代も電車が入れ替わり、改良を加えられているが、特に多くの観光客が高野山参詣に利用する特急「こうや」は古くは「デラックスズームカー」と呼ばれ、長く鉄道ファンに親しまれている。郊外電車の走るすぐ近くに山岳の宗教聖地がある、というわが国ならではの光景であることは間違いない。

券売機・自動改札機

わが国の代表的な社会電化に券売機・自動改札機の組み合わせによる鉄道・地下鉄ネッ

トワークシステム電化がある。なぜなら、先進諸国でわが国ほど大量の通勤・通学客を駅の改札で毎日さばいている国はそうはないからである。特に一九六〇年代における通勤時の駅の混雑ぶりには深刻なものがあり、それに対して当時日本メーカーと鉄道会社が行ったイノベーションは、その後の世界の交通システムを牽引した。ここでは、当時まだ無名の部品メーカーだった立石電機（現・オムロン）の奮闘ぶりを見てみよう。

立石電機は、もともとリレー、タイマー、マイクロスイッチ、さらには無接点リレーなどの制御パーツメーカーであった。その延長線上で、自動改札機開発を引き受けるのだが、もともとは大手メーカーが断ったために回ってきた仕事であった。

立石の技術者たちは、この時いわゆる「三現主義」、すなわち「現場で見て」「現物で確かめて」「現実的な解決策を作る」ことを基本として構想を固めていった。その結果、必要とされる処理能力は分速六〇～八〇人（一人当たり〇・八秒）であり、改札機には

北千里駅に設置された日本最初の自動改札機（1967 年）
（提供＝阪急電鉄）

〈一〉利用者に見やすい位置で、定期券や切符を入れやすい形状の挿入部であること

〈二〉表裏なく連続して入れることができること

〈三〉手や荷物の複雑な動きをさばき、一人一人を判別できること

〈四〉課金されない幼児を通過させられること

〈五〉安全な扉であること

の五つの条件があると整理できたが、それに対応するのは至難の業であった。結局数ミリメートル幅の長いベルトを直径一

メートルの軸にセットし、秒速二メートルで回転させるとともに切符・定期券には磁気テープを使う、という仕組みが採用されることになり、立石電機の部品技術が大いに活かされることとなった。また同社は食券自動販売機やクレジットカード利用の販売機のメーカーでもあったため、その紙幣・硬貨判別技術は券売機の基礎技術としても大きく貢献している。

自動改札機は一九六七（昭和四二）年に阪急北千里駅に初めて導入され、その後ノーマルオープン（異常時だけ閉まる）からフラップドア（一人ずつ開閉）にシフトするとともに、八〇年代に関西地域に、続いて首都圏へと広がった。また二〇〇〇年以降はＩＣカードの登場で非接触タイプが現れ、進化を続けている。

現在では、発展著しいアジア各国をはじめ多くの国で日本の自動改札システムが使われており、戦後の生んだ輝かしい電化の一つであることは疑いがない。

動く歩道

人は誰しもできるだけ楽に早く空間を移動したいと思うものだ。その究極は「どこでもドア」であるが、現実の世界では鉄道や自動車が実用化され、エレベーターやエスカレーターも電化による移動手段として広く普及している。ここでは、そのエスカレーターの変り種ともいえ、社会インフラに組み込まれている「動く歩道」（ムービングウォーク）に触れてみたい。

まず、世界を見ると「動く歩道」の実用化は早く、一八九三年、コロンブスのアメリカ大陸発見四〇〇年を記念して開催されたシカゴ万国博覧会にまでさかのぼる。ついで一九〇〇年のパリ万博で、速度の異なる三層の「動く歩道」が設けられた。一番遅いレーンから、椅子席もあった最高速のレーンへと順に渡って利用することができたようだ。駅に限っても、一九五四年にはニュージャージー州のエリー駅で、長さ八四メートルを超えるグッド・イヤー製の「ＳＰＥＥＤ　ＷＡＹ」などの先例がある。

日本では、「氷川丸」に一九六一年に設置された日立製作所製「オートライン」（動

氷川丸に1961年に設置された日本初の「オートライン」（動く歩道）

（出典＝『日立評論』1962年1月号）

く歩道）が第一号機であり、船内に設置された世界で初めての動く歩道でもあった。一九三〇年に建造された日本郵船のこの貨客船は、戦前・戦後を通して太平洋横断二五四回、二万五千人もの人を運んだ。引退後は横浜に係留され、ひろく市民や観光客の観覧に提供された。多くの市民に愛された大型船の氷川丸の見学施設の一画で、「オートライン」が稼動していたのである。

続いて翌年の一九六二年、大阪・船場の大西衣料店が店内移動用に同じく日立製の日本初となる「傾斜式オートライン」

を採用している。

　そして、初めて公共空間に大規模に設置された例として有名な阪急梅田駅の「ムービングウォーク」が一九六七年に登場する。国鉄（現・JR）東海道線の高架下をくぐって南側に設置されていた地上駅の阪急梅田駅は、一九六六年から七年間かけて東海道線の北側に移転高架化拡張工事がおこなわれ、約四〇〇メートル移転した。この移転によって地下鉄や阪神など他線までの距離が長くなったことを受けて、乗り換えの不便さを補う移動手段として導入されたものである。

　梅田駅の成功を受けて、一九七〇年の大阪万博会場内の移動手段にも導入、「動く歩道」という固有の名前とともに、その実績が広く知れ渡り、日本各地の駅や空港で採用されるようになった。現在では、動く歩道とエスカレーターが連結されたタイプのものも各地で採用されている。

　横一列に幾筋も歩行者専用のベルト・コンベアーが並んでいる様子は壮観だ。阪急梅田駅の「ムービングウォーク」は、今日にあっても日本最大規模の動く歩道であり、この駅の名物である。

エレベーター

二〇一二年五月に開業した東京スカイツリー（高さ六三四メートル）のエレベーターは、分速六〇〇メートルで、地上三五〇メートルにある天望デッキへ約五〇秒で到着するという。一八九〇年に浅草・凌雲閣（高さ六五・四メートル）に導入された日本最初のエレベーターが、分速一五メートルであったことを考えると、約一二〇年余りの間に四〇倍もの速度を得たことになる。このようにほかの輸送手段と比べても劣らない進歩を遂げ、広く一般化しているエレベーターであるが、日本での本格的な普及は、最初の導入から七〇年あまりを経た一九六〇年代に始まったことは、あまり知られていない（エレベーターには油圧式もあるが、ここでは電動式について述べる）。

海外技術の導入により、国内メーカーがエレベーターの製造を開始したのは一九三〇年代であるが、戦争を背景に市場は停滞し、生産台数が千台に到達したのは一九五〇年代であった。その後、高度経済成長によって建築が増加した中小ビルや公団住宅などに対応すべく、量産性や経済性を考慮した研究が始まり、仕様や意匠を規格化したタイプが登場した。また、建築基準法改正に伴う高さ規制（三一メートル）の緩和によって、霞が関ビル（一九六七年）、京王プラザホテル（一九七一年）などの超高層ビルの建設が相次ぎ、高速エレベーターも導入されるようになった。エレベーター（乗用）には、中低層ビル向けや高層ビル向けがあるが、本格的な導入が始まった時期は建物の高さに関係なく、ほぼ同時期に導入されたことになる。

このような普及の拡大とともに、エレベーターを制御する技術も大きく発展した。一九六〇年代までのエレベーターは、速度・ドア開閉・呼び出しなどの制御を、大量の機械式リレーで行っていた。しかし、一九七〇年代に入ってマイコンを用いた方式が採用されると、各フロアにピタリと停める着床性能や乗り心地の改善が進むとともに、多数のエレベーターを効率的に運行させる群管理制御も一般化した。中から景色が見える展望型エレベーターや、上下二階建てのダブルデッキのような新しいタイプ

日立が東京スカイツリー®に納入したエレベーター「天望シャトル」

（提供＝日立製作所）

のエレベーターが出現したのも、この時代である。そして、一九八〇年代に入ると、より精密な制御とともに省エネも可能にするインバーター制御技術が開発され、一九九〇年代には、東京都庁舎（高さ二四三メートル）や横浜ランドマークタワー（高さ二九六メートル）などの超高速エレベーターでも導入された。

このようにエレベーターは、社会の変化を背景とした建物の多様化や高層化によって普及が進み、同時期の家電と同様、マイコンやインバーターなどの電子制御を取り込むことによって発展を遂げてきたことになる。

コラム③

電気自動車とプラグイン・ハイブリットカー

『にっぽん電化史』シリーズでも何度か取り上げているように、電気を使う自動車自体の歴史は古く、日本国内でも一九二〇年代には多くの電気自動車が使われていた。その後、ガソリンエンジンの圧倒的な進歩の前にほとんど姿を消しかけていたのだが、蓄電池のイノベーションを背景に新しいＥＶ・ＰＨＥＶの時代がやってきたのである。最近の大きな特徴は、昔ながらの電気自動車（ＥＶ）に加えて、ガソリンエンジンとの共同作業によって圧倒的なエネルギー効率を実現するプラグイン・ハイブリッド（ＰＨＥＶ）が現れたことである。

トヨタ自動車で初代ハイブリッド車・プリウスの開発にかかわった八重樫武久（現・コーディア社長）によれば、ハイブリッド車開発の基本的視点は電気自動車の改良ではなく自動車に「電気」というエネルギーをどう使うか、すな

電気自動車向け充電スタンド

わち「最適電化」の実現であったという。急発進や急加速、減速がエンジンの燃費を下げることはよく知られているが、トヨタのハイブリッドシステムはエンジンの非効率部分（減速時に捨てられる運動エネルギー、加速時・発進時のエンジン負荷の増加部分）のエネルギーを蓄電池と電気の形でやりとりすることによって非燃焼化し、結果として資源の節約、低炭素化に大きな貢献を行うものである。

この徹底的な効率と省資源にこだわったハイブリッド車とその思想、さらには展開系であるプラグイン・ハイブリッド車は、今後の日本の強みを活かす移動の電化の大きなヒントとなる。

わが国は、高い人口密度と優れた技術力という背景のもと、世界の中でも独自の「移動の電化」文明を築き、それを世界に発信してきた。アジア諸国が自転車からスクーター、さらには自動車の大渋滞、そして公共交通というプロセスをできるだけスキップして効率的な移動を手に入れられるよう、「にっぽん」の電化が貢献できる場は多いはずである。

四．食

冷凍食品産業と「電化の連鎖」

電化の進展には、「家庭の電化によって新しいニーズが生まれる」「それに対応して生活産業側の生産電化が進む」「生活産業の生産革新を取り込もうとさらに家庭電化が進化する」といった「電化の連鎖」がところどころにあらわれる。その典型例であり、「電化の連鎖」がなければそもそも産業自体が無かったと考えられるものに、冷凍食品産業がある。その歩みを冷凍冷蔵庫との連鎖を中心に見ていこう。

業務用の冷凍庫が日本に初めて現れたのは一九二〇年、北海道森町の水産工業（現・ニチレイフーズ森工場）においてである。戦前に冷凍庫が使われていたのは魚、食肉を扱う店舗にほぼ限られ、家庭用冷蔵庫でもごく一部の富裕層や軍の施設で見られる程度であった。

わが国に本格的な冷凍庫や冷凍食品の時代をもたらしたのは、終戦とともにやってきた米軍である。当時わが国に冷凍魚はあったが、ユーザー用の小口パックされた冷凍食品は存在していなかった。終戦による食糧難から生じた食糧輸入、その結果起きた当時の電化先進国であった米国の食のシステムの輸入という形で日本の冷凍食品は歩みだしたのである。

一九四八年には日本冷蔵（現・ニチレイ）が日本橋白木屋で調理冷凍食品の試売を行い、続く一九五二年には渋谷の東横百貨店（現・東急東横店）と池袋の西武百貨店に日本初の冷凍食品売り場が開設された。この時点で冷凍食品業界の主役は大洋漁業、日魯漁業（現・マルハニチロ）、日本水産（現・ニッスイ）、日本冷蔵といった大手水産会社であり、当然魚フライ、しめ鯖、タラ・サケ・イカなどの切り身が中心であった。ただ、当時は缶詰や魚肉ハムソーセージの全盛期であり、冷凍食品は決して花形の存在ではなかった。それだけに一九五七年、戦後初の南極観測船「宗谷」に七〇種類、約二〇トンの冷凍食品が積み込まれたのは関係者にとって大いなる希望であった。

一九五〇年代の一〇年間で冷凍魚の生産量は一六万トンから八七万トンと順調に増

えたものの、関係者の回顧録によれば、まだ冷凍庫を備えたトラックが少なく、北海道から送った冷凍タラや冷凍ホッケが、温度管理もされないまま送られてきて消費者の悪評を生む、といった状態であった。

こうした状況を打開するために、前出の四社と極洋・宝幸を加えた大手水産六社と全国漁業協同組合連合会が一九六四年、冷凍魚協会を設立し、冷凍魚の高品質流通、すなわちコールドチェーンの確立を目指すこととなった。

冷凍・冷蔵設備の普及

冷凍魚協会が設立された翌年、科学技術庁（当時）から「食生活の体系的改善に関する食料流通体系の近代化に関する勧告」という長い名前の低温流通機構整備の方針が示された。「コールドチェーン勧告」と呼ばれるものである。低温流通機構といってもマイナス二〇度で運ぶ必要がある冷凍魚からプラス一〇度程度で運ぶ生鮮野菜まで食品はさまざまであり、広範な基準やルールを官民一緒に作り上げる必要があった。

そのため冷凍魚協会を発展的に解消し、新しい冷凍食品の協会を作るために雪印・明治・森永の乳業三社、加卜吉をはじめとする食品関係の一二社などに声掛けがなされた。

ここで特筆されるのは、冷凍機を製造する、あるいはこれから家庭の冷凍冷蔵庫を普及させていく家電メーカーがメンバーとして加えられ、主要ポストに就いたということである。これによって前述メンバーに三菱電機・日立製作所・松下電器産業（現・パナソニック）・三洋電機（現・パナソニック）・東芝商事（現・東芝コンシューママーケティング）・富士電機家電（現・富士電機システムズ）・早川電機（現・シャープ）と日本冷凍空調工業会を加えて一九六九年に発足した日本冷凍食品協会は、当時としては珍しい農林水産省・通商産業省（当時）共同所管の社団法人となった。

家電メーカーが入ったことの理由の一つは「コールドチェーンの展開を図るうえでは消費者の冷凍食品への認識を深めることが重要で、家電メーカーを巻き込むことで初めてそれが可能だ」という関係者の考え方があった。当時設定された「ＣＣマーク」

冷凍食品が中心となるコールドチェーンを表現する日本冷凍食品協会のCCマーク。コールド（Cold）とチェーン（Chain）の「C」が二つ重なっている

は、見やすく、分かりやすく、冷凍食品に親しみを持ってもらいたい、という関係者の思いが感じられるものである。そしてこの家電メーカーの参画こそ、一九七〇年代（最初の発売は一九六九年）に進んだ二ドア冷凍冷蔵庫の普及、一九八〇年代の大型化、急速冷凍といった機能強化につながったといえる。

　内陸を含む国内各地でにぎり寿司や刺身を食べ、生鮮食品もほぼ同じものを使って食を楽しんでいる今日では、場所によって発酵した寿司しかなかったり、近隣でとれた野菜や魚だけで暮らしていた時代を想像

することは難しい。しかしながら、それはわずか四〇年あまり前のことに過ぎないのだ。それだけ供給側の冷凍・温度管理と家庭側の冷凍冷蔵庫普及という「電化の連鎖」が決定的にわが国の生活の姿を変え、完全に定着したということがいえる。

多様化する冷凍・冷蔵食品

コールドチェーンの整備と家庭用冷凍冷蔵庫の普及、大型化の時代を迎えた冷凍食品業界は、一九八〇年代以降、目覚ましい多様化の時代に入る。

一一六ページの図は、ニッスイが商品開発の道標とすることが多い「冷凍食品マップ」であり、これを俯瞰することで、冷凍電化に併行してきた家庭用冷凍食品の歩みと未来をイメージすることができる。

まず、図のX軸は夕食主菜、弁当主菜から副菜類へ、という「食シーン」を、Y軸には一番手間のかかる油で揚げるものからトースター、電子レンジと進んで一番手間のかからない自然解凍へ、という「調理方法」の並びを示している。

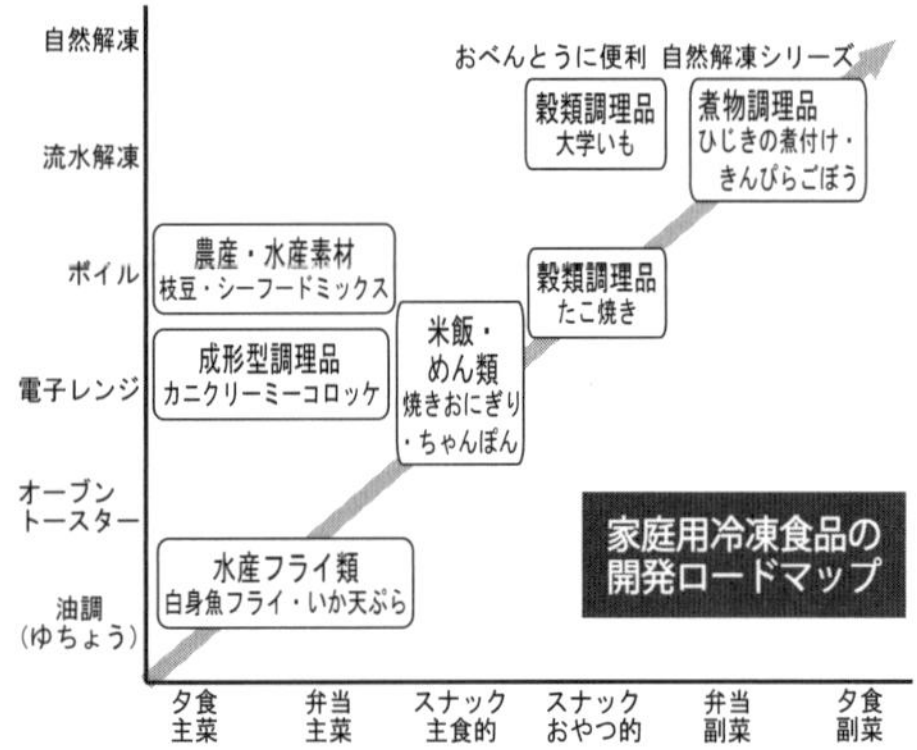

家庭用冷凍食品の開発ロードマップ
（出典＝日本水産ホームページより作成）

冷凍食品登場初期の一九七〇年代前半、冷凍食品のほとんどは夕食主菜（メーンディッシュ）で、油で揚げる魚のフライやてんぷら、コロッケといった食品であった。この時点では電子レンジやオーブントースターは家庭に登場しておらず、この食品マップでは原点近くに位置することになる。

続いて電子レンジが次第に一般家庭に普及した一九八〇年代（中盤には約半数の家庭に電子レンジが普及していた）には、「成形型調理品」と呼ばれるレンジだけで調理するものが登場する。代表的なのは、ロングヒットとなったカニクリーミーコロッケである。電子レンジは冷凍食品の登場シーンを大幅に広げ、普及率が七〇％に達した一九九〇年代には焼きおにぎり、ちゃんぽんといった主食的スナックやたこ焼き、大学いものようなおやつ的スナックも冷凍食品の得意分野となった。

その後、調理機能がオーブントースターやボイル調理を持つようになったこともあって、冷凍食品のラインナップはさらに増えた。そして今日冷凍食品にとってのホットトピックが、冷凍庫から取り出して弁当に入れてちょうどお昼時においしい「自然解凍でおいしい！」をはじめとする自然解凍ものであり、ニッスイの冷凍食品マップでは一番右上に位置する。弁当用のひじきの煮つけやきんぴらごぼうをはじめ、ヒット商品となった、「６種の和惣菜」「６種の中華」といったシリーズがこれに当たる。

生活産業である食品工業への冷凍庫導入からスタートした冷凍食品産業は、家庭用冷凍冷蔵庫・電子レンジといった電化と連鎖を起こして発展し、現在は自然解凍という、本来の利便化とは少し色合いの違うイノベーションへと進んでいるが、冷凍食品は実は日本人の電化と最もかかわりの深い生活産業の一つであることは間違いない。

酒類産業と電化

酒類製造業は、世界各国に非常に古い歴史を持つ生活産業の一つといってもいいだろう。従って、酒を造る産業は電気の利用や電化機器の誕生より前から人の手で蒸留や醸造を行っていたことになる。それでは、酒造り自体のプロセスはどう変わり、どこから電化とのかかわりが出てきたのだろうか。

日本人が楽しむ代表的な酒である日本酒の歩みから見てみよう。「古事記」によれば大和時代の初期に百済から米麹による酒造りが伝えられたのが日本酒の始まりとされているが、以降朝廷による管理の時代、「僧坊主（ぞうぼうしゅ）」と呼ばれた平安期の寺院による酒造りの時代を経て、室町後期には麹・蒸米・水を二回に分けて仕込む「段仕込み」が、安土桃山時代には三回に分けて仕込むことで味をよくする「三段仕込み」が始まり、生産規模も従来の二～三石の甕（かめ）から一〇石入りの仕込み

1904 年に東京・滝野川に設置された醸造試験所
（提供＝独立行政法人酒類総合研究所）

用大桶が使われるようになった。これらが実質的な日本酒の誕生とする見方もある。江戸期には生産性の高い水車による精米が始まり、伊丹の清酒を江戸に持ち込んだ山中新右衛門（鴻池勝庵）によって清酒が全国に広がった。

明治に入ると、酒造を所管する大蔵省によって醸造試験所が設立され、動力精米機の導入などによる生産革新、品評会開催などによる全国酒造元の切磋琢磨で、酒造りに適した米の開拓や新しい酵母の開発が進み、結果として吟醸酒が誕生した。

一方、電化の出番はもう少し先の昭和初期

（一九二〇年代）になる。ようやくモーターが一般化し、動力精米機の動力が電気に変わり、酒造所内で使う水のポンプ、火入れのための電熱器、熱管理のための冷蔵や冷房の一部にも電気が使われ始めた。現在、日本酒産業では精米プロセスのほとんどが電気式になり、もろみ（米・水・米麹など）の温度制御と発酵状態管理の多くにも電気式のヒートポンプが使われている。また日本酒は酒類で唯一低温殺菌（六五度）が可能なため、ここでも電気式が優位である。

このように見てみると、手作りから始まった日本酒造りが、産業自体の革新、その革新の電気への代替、という形で目の覚めるような近代産業に生まれ変わったことが分かるのである。

ビールの歩みと電化

一方で、もともと日本に無かった飲み物なのに、日本酒以上に日本人の生活に馴染んでいるものがビールである。日本のビール造りは明治期に始まった。一八七〇（明治三）年、横浜の山手居留地に米国人の醸造技師コープランドが「スプリング・バレー・ブリュワリー」を作った。

この醸造所は閉鎖となったが、同じ場所に醸造所を作ったのが英国人グラバー、岩崎弥之助、渋沢栄一、大倉喜八郎らが出資した「ジャパン・ブリュワリー・カンパニー・リミテッド」であり、これが麒麟麦酒の前身となる。また北海道では、ビールとはまったく違う「開拓」という理由でお雇い外国人となった米国人ケプロンとアンチセルが、野生のホップを発見した。二人は、開拓長官であった黒田清隆にホップ栽培を進言し、一八七六（明治九）年に「開拓使麦酒醸造所」という北海道最初のビール製造が実現した。この時掲げられた五稜星のマークは、今でも後を継ぐサッポロビールのマークとして使われている。

こうして産声をあげたビール産業は、大正、昭和と規模を拡大し、メーカー各社は乱立と合従連衡を繰り返しながら発展していたが、一九四五年、この産業を敗戦のショックが襲った。ビールの製造工場も少なからず戦災に遭ったが、ビール造りに不

創業当時のジャパン・ブリュワリー・カンパニー横浜山手工場。後に建て替えを経て製造工程に電化システムを導入した

（提供＝キリンビール）

可欠な酵母をしっかり保存しつつ再開を図ろうとしていたところ、おりからの世界的な食糧難から、一九四六年五月にはいわゆる「食糧メーデー」が実施され、GHQの意向を受けた政府から酒類生産の全面禁止措置をとるよう通達があった。「敗戦国にビールはいらないということか」という表現もビール各社の社史には残されている。

これに対して大蔵省は甘薯、大麦、米を食糧として拠出するようにビール各社に命じ、幸いこの年の米が豊作だったこともあり、生産禁止になることはなかったが、配給統制の下、ビール産業にとっては厳しい時代が続いた。

ビール業界を決定的に変えたのは高度経済成長である。なんといっても所得の格差が縮小し、多くの国民がビールを楽しむようになった結果、需要が伸び、生産設備の大幅拡張が必要になったのである。

一九五〇〜六〇年代、麒麟、日本（六四年からサッポロ）の二社は、麒麟横浜工場の大改修をはじめ、多くの新鋭工場を竣工した。その多くがそれまでの二倍の生産性を持つ米国製の高速瓶詰め機や電気式のパストライザー（壜殺菌機）を装備していた。

家飲みによる電化連鎖

ビールに限らず、戦後の飲料・食品産業に決定的な影響を与えた電化製品として、家庭用の冷蔵庫があることは言うまでもない。もちろん冷蔵庫は戦前から一部の富裕層の家にあったが、一般家庭に普及したのは一九五〇年代後半からである。

ビールの場合、冷蔵庫の普及は当然「家飲み」という習慣を定着させる。一九五五年と六五年のわが国の酒類消費量の増加を見てみると、日本酒が二倍強なのに対してビールは五倍近い数字を示しているが、この差の一部が「冷たく飲める」ようになった効用であることは疑いがない。

ビールメーカーにとってみれば、店飲みの場合は樽出荷で、業務用をターゲットに営業し、小さな店や瓶出しの店用に瓶を生産すれば良いが、家飲みが多くなった場合は、瓶での出荷のウェイトが高くなることになる。また販売店から家に持ち帰られることによる劣化に対応するための品質管理や、消費者の好みに合った商品づくりやブランドも重要になる。

これらが反映されたのが、高度成長期以降のビール生産工場の高度電化である。一九六一年に竣工した麒麟の横浜第二工場では、品質上重要な発酵室や貯蔵室の温度管理がブライン配管からエアコン方式に切り替えられ、ドイツ式のレーベル貼り紙機（ラベラー）が導入された。またこの工場から見学者用の通路が設けられ、ビール各社は「見せられる工場」を意識するようになった。一方、サッポロビールは一九六六年に札幌第二工場を竣工させたが、これは麦芽吸引から麦汁冷却まで仕込室内の自動制御盤で操作が可能なものであった。

日本のビール産業はその後、一九七〇年代の容器の多様化（樽型容器の流行は家庭用冷蔵庫の大型化を背景としており、一時はかん高いビールを注ぐ音がどの家庭でも聞かれた）、一九八〇年代のラガーと生の対決、新進勢力のアサヒビールによる「スーパードライ」の投入によるシェア獲得と各社の対抗、さらには第二・第三のビールなど百花繚乱である。電化と絡めていえば、生やドライはビールの鮮度、という概念を消費者にも意識させ、ビール工場はますます電化・情報化の度合いを増している。また、マーケティングや商品開発のサイクルが極めて短いこの業界では、多様なラベリングや容器形成は必需品であり、それだけ電化システムとのなじみは深い。冷蔵庫という電化が、ビールという産業との間に電化の連鎖を起こした事例、と見ることができるのではないだろうか。

焼酎と電化

酒類の中でも工業化から最も遠いように見えるのが焼酎である。気の利いた居酒屋ではおびただしい種類の焼酎瓶が並んでいるし、テレビなどで見る焼酎の蔵元もどう見ても家族経営で、いわゆる大手メーカーによる甲種の焼酎（何回も蒸留を繰り返して作るホワイトリカーや梅酒）を除けば大量生産の近代工場には程遠い。

焼酎は、もともとタイから琉球経由で伝わったとも言われているもので、芋や黒糖、蕎麦、麦などの糖類と米麹を合わせてもろみにして発酵させて作る蒸留酒である。もともと南九州を中心に作られ飲まれていたものが、一九八〇年代以降「本格焼酎ブーム」が起き、日本中で飲まれるようになり、その出荷量が日本酒を上回った。その後一時沈静化したが、いまでもさまざまな焼酎は全国で根強い人気を持っている。

では、焼酎造りのポイントである蒸留について見てみよう。乙種焼酎のために使われるのは単式蒸留器で、麹・酵母・水でできた一次仕込みに材料（芋・麦など）を加えた二次もろみに熱を加えて蒸留する。この過程で「フーゼル油」と呼ばれる雑味成

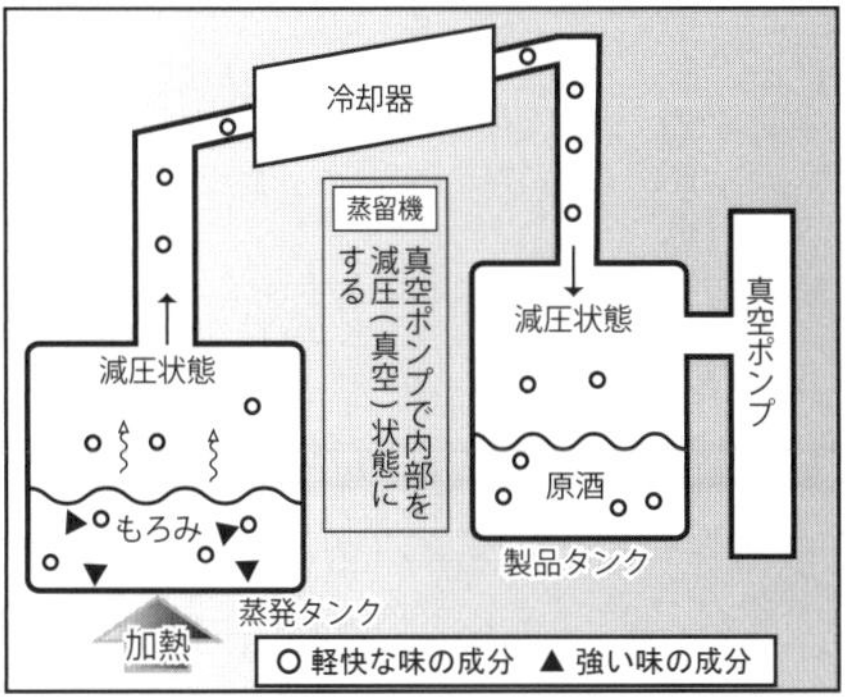

減圧蒸留の仕組み

分が出て、それが愛好者を呼ぶとともに「焼酎は飲みにくい」と言われる原因となっていた。

近年の技術進歩や、電化システムによる製造工程管理で、焼酎製造では「減圧蒸留」という手法が可能になっている。減圧してエタノールの沸点を下げることで、フーゼル油などを含まない、雑味のない蒸留液を得ることができる。あるメーカーで採用されているケミカルプラント社製の減圧蒸留機では、四五度まで沸点を下げることが可能で、熱回収を行えば電気式のヒートポンプで高効率の運転が可能になる。減圧、という焼酎独特のプロセスが電化とフィットするのである。

また、エネルギー利用と焼酎という意味では霧島酒造の試みも興味深い。ここでは毎日大量に廃棄される焼酎粕（芋の繊維や皮などの残渣）を粉砕したうえで高圧メタン発酵させ、バイオガスを精製する実験を始めている。発酵技術を持つ企業ならではの取り組みであり、将来は施設内での利用を視野に入れているという。

日本酒、ビール、焼酎はそれぞれ低温殺菌や品質管理の向上、家庭向け大量生産の必要性、減圧・低温蒸留といった電化とフィットする要素を持って、それぞれ電気と寄り添ってきた。われわれが楽しんでいるお酒に、こうして電気とのかかわりが隠れていることは興味深い。

飲料自動販売機

わが国を訪問した海外からの旅行客が驚く光景の一つが、街中の至る所で目に付く自動販売機であるという。その普及台数は約五〇〇万台（二〇一一年一二月末）といわれているが、全体の約半数を占めるのは、飲料自動販売機である。近年は、災害支援型や防犯カメラ搭載型のように社会インフラとしての機能を有するものも登場しているが、どのように普及し、進化を遂げたのだろうか。

わが国の飲料自動販売機は、星崎電機（現・ホシザキ電機）が一九五七年に開発した、粉末ジュースを冷水に溶かし紙コップで販売するタイプが最初といわれている。しかし、一九六〇年代に入ると、本格的な生産が始まったファンタやコカ・コーラなどの清涼飲料を容器ごと冷やして販売するコールド専用タイプが登場した。

そして、一九七〇年代には缶コーヒーが相次いで誕生し、ホット対応型への要求も高まった。これを受けて一九七三年には、季節によってホットとコールドを切り替える「ホット・オア・コールド自動販売機」が登場し、一九七七年には、一台でホットとコールドに同時に対応する「ホット・アンド・コールド自動販売機」が開発された。『三洋電機五十年史』によれば、このタイプの登場によって夏場は売れるが冬場は売れない自動販売機特有の繁閑差が減少し、これ以後の主流になったという。

なお、一九七〇年代前半まではスイッチと電磁リレーによる制御が主流であり、多

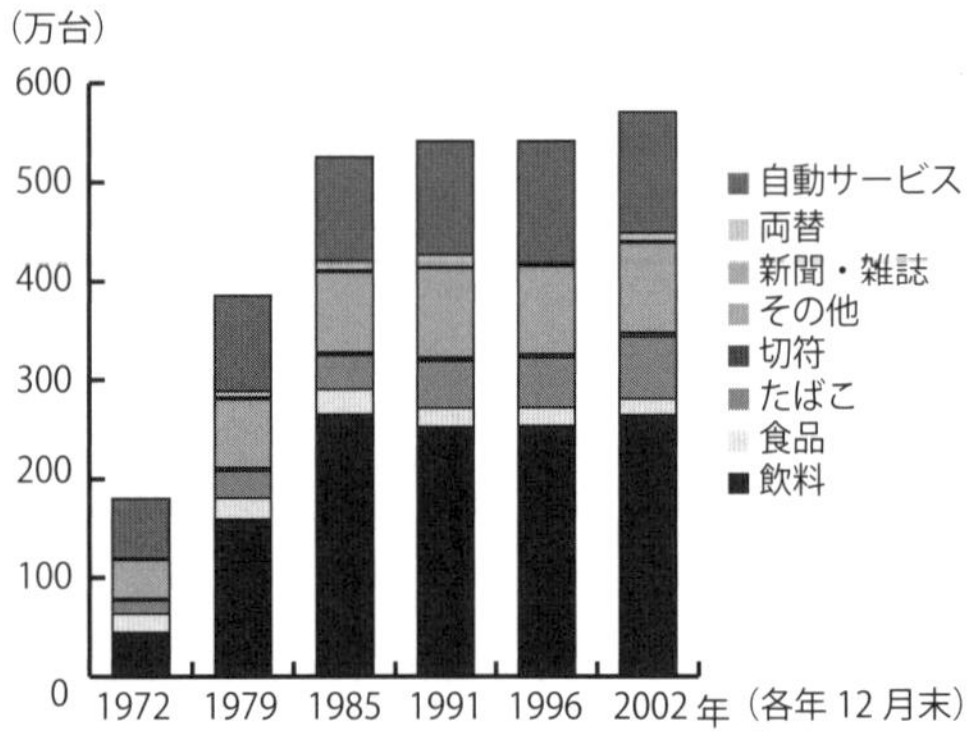

自動販売機の機種別普及状況の推移
（出典＝富士電機『富士時報』各年版をもとに作成）

機能化には限界があったが、一九八〇年前後になると、家電と同様にマイコンの導入が始まった。これに伴って売り上げの集計や価格変更などを行う機能分散型制御が可能となり、情報管理システムの構築に加え、マーケティングツールとして活用する動きも拡大した。

このように基本的機能を確立する一方で、一九九〇年代以降は省エネへの取り組みも本格化し、夏場の午前中に商品を冷やし、電力需要がピークを迎える午後は冷却運転を止めるエコベンダーが開発された。これに加え、庫内の冷却装置から出る熱を再利用してホット商品を温めるヒートポンプ式の導入も始まり、さらに効率を高めたハイブリッドヒートポンプの開発も進んでいる。

図は、約三〇年間の自動販売機の機種別普及状況の推移であるが、飲料自動販売機の台数は、一九七〇年代から一九八〇年代にかけての一〇年あまりの間で約五倍に上昇し、現在に至るまで二五〇万台前後で推移している。このようにわが国の飲料自動販売機は、商品の販売や加熱・冷却併売方式などのような現在につながる機能を一九七〇年代に獲得し、マイコンやヒートポンプなどの各時代の最新技術を取り込みながら普及してきたことになる。

進化する飲料自動販売機

一九八〇年代前半に現在とほぼ同数の二五〇万台近くが普及した飲料自動販売機であるが、五〇〇円硬貨の発行による商品の高価格化、容器の多様化や大型化により、高機能化を目指した動きが始まった。缶入りの煎茶やペットボトル入りの炭酸飲料などが登場し、種類が大きく拡大したのもこの時代である。

一九八〇年前後からマイコンが導入されたことは前述したが、一九八〇年代半ばに入ると、硬貨や紙幣の識別、商品の搬出制御、冷却・加温制御などの機能をブロック別に分散し、シリアル通信で相互に接続する方式が開発された。さらに、自動販売機情報収集システムやPOSシステムなどのネットワーク化が進むことになった。当初は、電話回線を用いた方式であったが、現在はインターネット回線が用いられており、一部では、ブロードバンド回線をつないで無線LANの基地局とする動きもある。

このように販売や運用に関する機能を中心に進化した飲料自動販売機であるが、災害支援や防犯への活用を模索する動きも始まり、二〇〇三年には、災害発生時の製品無償提供機能を備えた災害対応型自動販売機の第一号機が開発された。無償提供の方法には、手動操作やインターネット回線による遠隔操作があり、庁舎や自治体関連施設など、災害時に避難場所となる場所を中心に設置されている。日本コカ・コーラによれば、能登半島地震（二〇〇七年）や東日本大震災（二〇一一年）では、無償提供

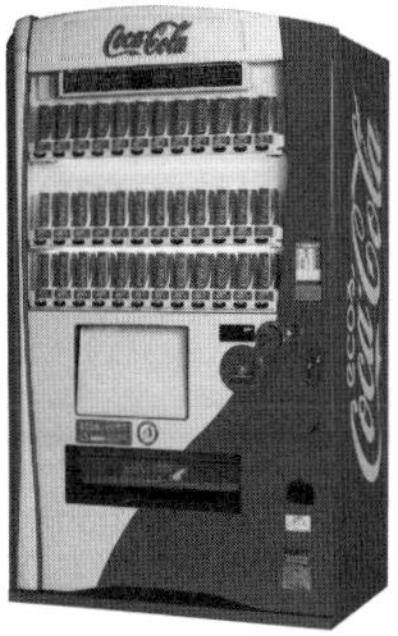

地震などの災害発生時の無償提供機能や電光掲示板を持つ、災害対応型自動販売機

（提供＝日本コカ・コーラ）

機能が実際に稼働したという。さらに現在は、電光掲示板を搭載し、平時はニュースや街の情報を、災害時には災害情報を、それぞれリアルタイムで提供するタイプも出現している。

防犯への活用では、全国で相次いだ自動販売機荒らし対策として、破壊などを感知すると最寄りの警察の専用電話に設置場所を自動的に音声で通報する「自販機犯罪通報システム」が開発された。また、撮影した画像をインターネット回線経由で監視・閲覧する防犯カメラ付自動販売機の導入も進んでいる。

このように社会インフラとしての役割への期待も高まっている飲料自動販売機であるが、これを支えているのは、内蔵された通信機能である。当初は、販売情報の収集・管理を目指して進んだネットワーク化であるが、災害時に活躍するような新しい役割の構築にも大きく寄与しているといえるだろう。

一九八〇年代までに広く全国に普及したわが国の飲料自動販売機は、商品や容器の多様化に対応する中で運用や販売に関するネットワーク化を図るとともに、災害時の支援や防犯対策などの役割を模索しながら独自の進化を遂げてきたことになる。

コラム④

食とロボット

日本の技術が世界にも大きく貢献している例として産業用ロボットがある。自動車工場や半導体工場でめまぐるしく動く産業用ロボットは非常にポピュラーだが、食肉加工において極めて日本独自のロボットが省力化に貢献していることはあまり知られていない。

前川製作所のチキン骨付きもも肉全自動脱骨ロボット「トリダス」は、均一ではない対象でも計測技術を活かして的確・迅速に処理し、人手作業の四倍のスピードで肉を取り出すことができるもので、一人で五台のロボットを扱うことができ、自動化と衛生的な処理に大きく貢献している。

さらに、近年では植物工場も実現している。人工環境の中で作物を育てるわけだが、照明・空調による環境管理に電化は欠かせない。生産可能な野菜の種

大阪府立大学の完全人工光型植物工場
（提供＝大阪府立大学植物工場研究センター）

類が限られていたり、採算性の問題があったりと、まだまだ課題も多いが、生育環境の調整による品質の安定性や供給の安定性、完全に衛生管理された環境で作られる高機能野菜の生産など付加価値の向上により、広がりを見せる可能性を持っている。

その実現のためにはより高効率で生育に適した光の波長の調整がしやすい光源、より高効率な空調システムなどが求められるところだが、ここで一つ一つ課題を克服し改善していく「にっぽん」のチカラが試されるのではないだろうか。

五．医療

心電計

これまで紹介した各産業の電化が省力化や快適性の追求が主な動機であるのに対し、医療分野の電化は、正確な診断と治療、患者の体への負担軽減を目指して進展してきた。より具体的には、人体の活動や病巣の可視化、臓器の機能の代行、新たな治療方法の確立などである。箭内・中野（二〇〇五）によれば、一九六〇年代から現在までの代表的な医療機器の変遷は一三八ページの表のように示され、そのほとんどは電気で作動する機器である。このように現在の医療には電気が不可欠であるが、その原点ともいえる心電計を足掛かりに、医療と電化について考えてみよう。

一八〇六年にフランスの医師ラエンネックが聴診器を発明し、音による心臓疾患の観察は容易になったが、最終的な診断は、医者の経験と判断に依存していた。これに対して、症状を機械的に記録することで、より正確な診断を可能にしたのが心電計で

時代	代表的な医療機器	医学的意義
1960 年代	心電計、脳波計など	検査の一般化や検体の大量処理（医療の量）
	自動生化学分析装置	
	人工心肺装置	
1970 年代	ペースメーカー	検査の低侵襲化や精密化（医療の量）
	Ｘ線ＣＴ	
	超音波診断装置	
	人工腎臓	
1980 年代	レーザーメス	治療のハイテク化 治療メニューの多様化
	ＭＲＩ	
1990 年代	結石破砕装置	治療の低侵襲化 患者のＱＯＬ向上
	人工補助心臓	
2000 年代以降	在宅治療	個への対応 (テーラーメード) 医療ニーズの多様化
	遠隔医療	

代表的な医療機器の歴史と主な役割
（出典＝箭内博行、中野壯陛「医療機器技術の進歩の歴史」『電気設備学会誌』第 25 巻 5 号、2005 年、P 309-312）

あり、オランダの生理学者アイントホーフェンによって一九〇三年に発明された。これは、食塩水の入った容器に銀の導線を取り付けて四肢を浸し、この状態で心臓に起きた電気的な変化を記録する仕組みであり、本体重量約三トン、操作・記録要員五名、研究室と病室の間に敷いた一五〇〇メートルの電線で電気信号を送る巨大な装置であった。彼は、大西洋に敷設された海底電信の受信用記録装置から、この着想を得たという。

アイントホーフェンに続く心電計の開発は、世界各国で行われ、微弱な電流を真空管で増幅するタイプが、ドイツのシーメンスによって一九二八年に開発された。一九三九年には、日本でも福田電機製作所（現・フクダ電子）が真空管式直流心電計を発売した。一九五〇年代に入ると、同社や日本光電を中心に臨床への応用が本格化し、一九六〇年代には、安定性や耐久性の向上、小型・軽量化、消費電力の低減を目的にトランジスタが採用された。そして、一九七〇年代後半には、解析精度の向上に加え、さらなる小型化とデジタル化を進めるため、マイクロコンピューター（マイコン）を内蔵したタイプが登場した。現在は、心電図波形と患者情報、解析結果の同時記録が可能になるとともに、製品の小型化や多様化が一層進み、オムロンからは一般向けの携帯可能なタイプも販売されている。

このように大規模な装置から始まった心電計は、電子技術の発展を享受しながら広く普及するとともに、心臓に関する診断と治療の発展に寄与してきたことになる。

人工心肺装置

心電計と並んで一九六〇年代に導入が始まった代表的な医療機器に人工心肺装置がある。この装置は、心臓手術の際に心臓と肺の機能を代行するため、心臓を切り開いて直視下で手術を行う開心術が容易になり、現在は心臓外科の基本的な装備となっている。血液ポンプや熱交換器などの電気を必要とする多数の部品で構成され、医療の電化の先駆けともいえるこの機器は、どのようなプロセスで普及したのだろうか。

人工心肺装置の主な役割は、血液循環や血液ガス交換(二酸化炭素除去、酸素添加)、体温調節であるが、この原型となる気泡型人工肺(静脈血に酸素を吹き込むことで血液を酸素化)は、一八八二年に考案された。その後、一九一八年に「ヘパリン(抗凝固物質)」が発見されたことで、体外に出た血液の凝固の防止が可能になり、長期間の動物実験などを経て一九五〇年代に入ると、臨床への本格的な応用が始まった。一九五三年には、米国の心臓外科医ギボンが世界で初めて体外循環による心臓手術に成功したが、ここで用いた人工心肺装置は、静脈血を薄い膜状にして流し、酸素ガス

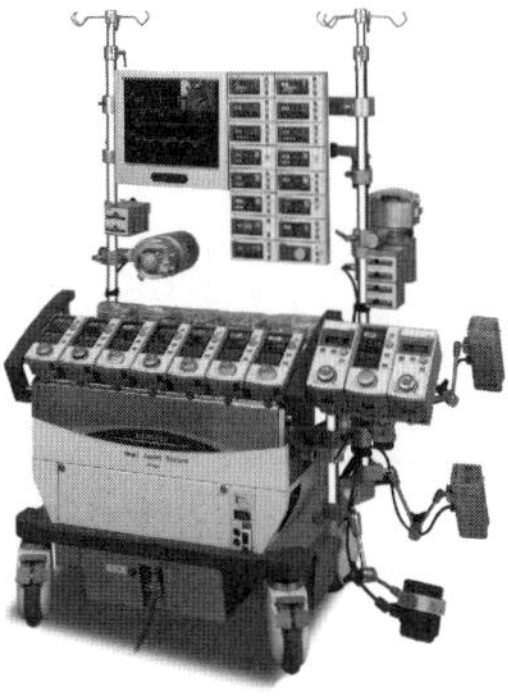

最新式の人工心肺装置
（提供＝泉工医科工業）

と接触させてガス交換を行うスクリーン型人工肺と血液を循環させるためのポンプを組み合わせたものであった。この後も手術は続くが、直後の二例では患者が死亡し、改良型を用いた手術でも、八例のうち成功したのは四例であった。しかし、体温を下げて心臓の動きを止める低体温法が一九五五年に考案されると、人工心肺装置との組み合わせによって成功率は上昇に転じた。なお、人工心肺装置の研究はわが国でも一九五〇年代に始まり、一九五六年には三例の成功が報告されている。

この後も、心臓外科医や研究者などに

よって人工心肺装置の性能を高める研究は続き、血流量や血圧などの体外循環に必要なさまざまな情報を正確に把握・記録し適切な対処を行うため、センサーやコンピューターの搭載も進んだ。また、この装置が心臓外科でも積極的に導入され、虚血性心疾患、弁膜症、大血管疾患、先天性心疾患などに対する手術が、全国各地の病院で行われるようになった。

このように心臓の開心術を容易にした人工心肺装置は、心臓外科の発展とともに技術的な進歩を遂げ、多くの人命を救いながら、広く普及したことになる。

超音波診断装置（エコー）

これまで述べた心電計や人工心肺装置が、特定の臓器に対応しているのに対し、幅広い部門で用いられる医療機器に超音波診断装置がある。人体に照射した超音波の反射速度と位相を用いて体内組織の断面像、動き、血流などを表示するこの機器は、どのように多くの病院へ普及したのだろうか。

超音波とは、人間の耳に聞こえる範囲を超えた音波のことであり、その発生原理は、フランスのキュリー兄弟によって一八八〇年に発見された。しかし、実用化に向けた動きが始まったのは、一九一二年に起きたタイタニック号の沈没事故がきっかけであった。事故の原因と考えられた氷山の位置を調べ、船舶の安全航行に役立てる方法として着目されたのである。一九一四年には、一方向に向けて音波を発射し、反射波を受信することによって約三キロ先の氷山の発見に成功したが、同年に始まった第一次世界大戦では、真空管を用いたアクティブ・ソナーが開発され、潜水艦の探知にも利用されるようになった。

医療分野での使用は、一九四九年にオーストリアで脳室画像を撮影したのが最初と言われているが、画像が粗く実用化には至らなかった。これに対してわが国では、日本無線などが開発した魚群探知機や探傷器（対象物に超音波を当て、反射波や通過波の強弱から内部の欠陥を探知する装置）の応用によって診断を試みる動きが一九五〇年から始まり、一九五三年には、脳内疾患エコーの検出に世界で初めて成功した。

また、一九五〇年代後半に入ると、胎児や心臓、胆石症の診断も試みられるようになり、一九六〇年には、医理学研究所（現・日立アロカメディカル）が、超音波診断装置を発売した。しかし、この段階ではエコーをグラフで表示する「Aモード」が主流であり、使用は限定的であった。

一九六〇年代半ばになると、二次元断層像を表示する「Bモード」や経時変化を画像化する「Mモード」の商品化が始まった。一九七〇年代に入ると、トランジスタなどの導入によって小型化が進むとともに、心臓や乳腺、胎児用などが日本無線や東芝などによって実用化された。現在では、画像の三次元化やデジタル化によって精密な表示が可能となり、適用範囲もさまざまな臓器や部位にまで広がっている。

このように海の安全対策を目的に実用化が始まった超音波診断装置は、魚群探知機や探傷器を経て、画像表示技術の進歩とともに適用部門を拡大し、多くの病院へ普及してきたことになる。

ＣＴ（コンピューター断層撮影）

先に述べた超音波診断装置が体の一部分を診断するのに対し、より広い部分の診断を行うのが、一九七〇年代から導入が始まったＣＴである。一四六ページの図に示す医療器産業研究所の調査によれば、東日本大震災時の計画停電による医療機器の使用制限で最も影響が大きかったのは、「ＣＴやＭＲＩ（磁気共鳴画像）等の画像診断装置が使用できない」ことであり、中でもＣＴは、必要性が高いと判明した医療機器の第一位となっている。これは、ＣＴの普及率の高さに加え、現在の医療が電気に大きく依存していることを示す一例といえるだろう。このＣＴの開発と導入について考えてみたい。

ＣＴは、複数の箇所からＸ線を照射し、人体の組織ごとに異なるＸ線吸収率の違いをデジタル処理することで、コントラストを付けた断面像として表示する装置である。従来のＸ線診断では、立体的な臓器を平面上に表すには限界があったが、ＣＴの登場により、診断に必要な画像の描出が容易になった。

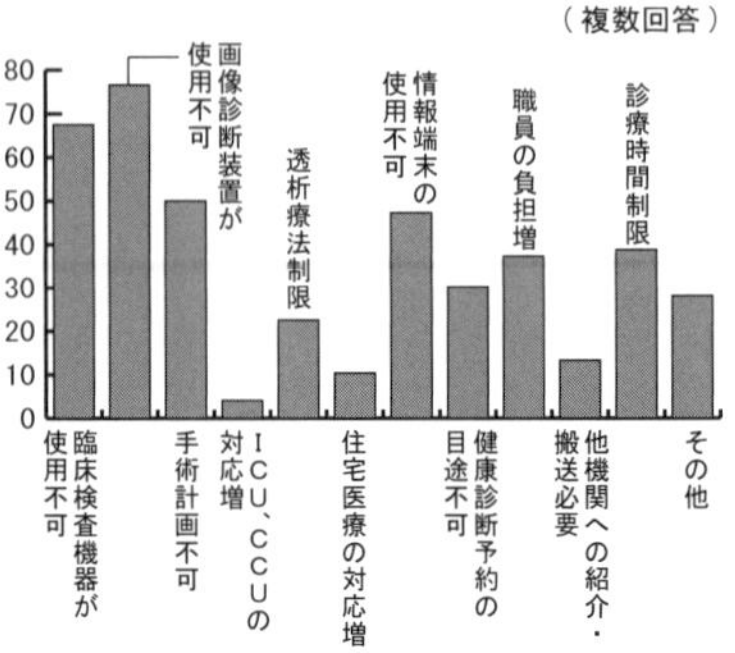

医療機器の使用制限による診療への影響
（出典＝財団法人医療機器センター附属医療器産業研究所「計画停電（電力容量不足）に伴う医療機器等の使用状況に関する緊急調査」2011 年 7 月、P17）

この装置は、ビートルズの世界的なヒットにより豊富な研究資金を得たＥＭＩ社（英国）のハウンズフィールドが一九六八年に発明し、一九七三年から頭部用の診断装置として発売された。ところが、脳腫瘍・脳出血などが診断できたことから、世界各国の企業が、全身用の研究開発に着手した。中でも重要になったのは、頭部だけで五分近くかかっていたスキャン時間の高速化であった。動きが少ない頭部に対し、呼吸や蠕動によって動く内臓や血管の画像を正確に描出するには、大幅な時間の短縮が求められたのである。この課題を解決するため、

Ｘ線ビームの形状、検出器の数や性能などに関する研究が行われた結果、最終的には一秒以下にまで短縮された。また、これに続く研究開発により、一度息を止めるだけで体幹部全体の撮影が可能なヘリカルスキャンや、一回のスキャンで多数の断面像が得られるマルチスライスＣＴなども登場した。

わが国では、ＥＭＩとレコード事業で提携していた東芝が一九七五年に頭部用を輸入したのが最初であるが、同社に加え、島津製作所や日立メディコなどが、低価格機種を相次いで開発した。その結果、ＯＥＣＤの二〇〇五年の調査によれば、人口一〇〇万人当たりの台数は第一位（約九三台）であり、第二位のオーストラリア（約四五台）の二倍以上となっている。

このように体の一部分への適用から始まったＣＴは、その有用性を理解した企業間の競争によって技術開発が進み、医療に不可欠な診断装置となって広く普及したのである。

手術支援ロボット

一九六〇年代から七〇年代にかけて登場した医療機器が、心電計や超音波診断装置などのように「検査」が軸となっていたのに対し、一九八〇年代以降は、「治療」が重要な位置を占めるようになった。この中で目覚ましい発展を続けている機器の一つが、最新のコンピューター技術を駆使した手術支援ロボットであり、さまざまな診療科で導入が始まっている。手術支援ロボットには、電子頭脳を持ち自分で判断して行動する「知能型」と、人間が操縦する「操縦型」の二つがあるが、現在、主流となっているのは後者である。医療の電化の最先端にあるこの機器は、どのようなプロセスをたどってきたのだろうか。

術後の患者の負担を軽減するために内視鏡を用いる低侵襲手術は、一九九〇年前後から世界各地で採用されたが、手術時間の短縮や手技の精度の向上を目指した手術支援ロボットの開発も同時期に始まった。整形外科や心臓外科、泌尿器科などの分野で、臨床応用に向けたさまざまなタイプが国内外の医療機器メーカーなどによって開発さ

手術支援ロボット「ダ・ヴィンチ」
（提供：AFP ＝時事）

れたが、普及の第一歩となったのは、一九九九年に米国のベンチャー企業であるインテュイティヴ・サージカル社が発売した「ダ・ヴィンチ」である。これは、鉗子やメスなどを取り付ける三本のアームと内視鏡が装着された先端部、操作部、助手用のモニターなどで構成される。手術を担当する医師は、箱型の操作部に映し出される内視鏡画像を見ながら手術を行う仕組みであるが、戦場での遠隔操作手術システムの開発がベースになっており、内視鏡をはじめ、日本製の部品も組み込まれている。二〇〇〇年代に入ると、世界各国で導入が始まり、わが国でも試験的な導入を経て、薬事法の承認が得られた二〇〇九年からは、正式に導入されるようになった。二〇一二年末の段階では、米国（約一七〇〇台）に次ぐ八七台が、泌尿器科などで稼働している。

このように手術支援ロボットは、さまざまな先端技術の活用により、患者の負担のより一層の軽減を目指して、技術開発と導入が進んできたことになる。しかしながら、一台当たりの価格が三億円と高価なことに加え、技術的には発展途上との指摘もある。現状では、国内の医療機器メーカーは開発を行っていないが、大学などが制御やフィードバック技術に関する研究に取り組んでおり、今後の発展への貢献が期待される。

コラム⑤

マッサージチェア

戦後の家電史は、通常、日本独自の技術の発祥となったテレビ、代表的な家電である冷蔵庫、洗濯機などを中心に語ることが多い。しかし、お茶の間やキッチンの主役級ではないものの、生活空間や建物を彩る電化製品の中に実は日本独自の強みを発揮しているものがある。

家電量販店の体験コーナーでは、老若男女を問わず多くの人々が、マッサージチェアに深く腰を下ろし、気持ち良さそうに身を委ねている光景を目にする。しかしながらこの商品が毎年三〇万台以上出荷され、五〇年以上の歴史を持つことは、あまり知られていない。

マッサージチェアの原型は、一九五〇年代に大阪で誕生したと言われているが、広く認知されるようになったのは、一九六〇年代である。「新案特許フジマッサージ機」を一九六五年に発売したフジ医療器製作所（現・フジ医療器）は、銭湯に置いて使ってもらおうと煙突を目印に飛び込み営業を行ったという。コインを投入すると、背もたれから突き出した「もみ玉」が、上下に移動するいすを銭湯の脱衣所で見た記憶がある方も多いだろう。

一九七〇年代に入ると、「もみ玉」が背もたれに内蔵されるようになり、強弱の変化をつけてローラーが移動するタイプも登場し、さらにテレショップも始まって、家庭への普及が進んだ。健康器具ブームで、「ぶらさがり健康器」が爆発的にヒットしたのも、この時代である。

そして、一九八〇年前後からは、一般家庭を狙った大手電機メーカーの参入も本格化した。現在でもマッサージチェアは、薬事法で「管理医療機器」に定められているが、「もみ」「たたき」「ストレッチ」などの多機能化に加え、マッサージ器然とした外観の変更にも取り組んだ。これに伴ってソファータイプが主流となり、百貨店や電器店での実演販売なども貢献して、家電の一角を占め

第１号機のモデルとなった木製あんま機（1954 年、左）と機能満載の現在の最高峰機種「サイバーリラックス」(右)
(提供＝いずれもフジ医療器)

るようになる。その後、景気の影響などで伸び悩んだ時期もあったが、センサーや制御技術、手元で操作できるリモコンの導入、医療機器メーカーと電機メーカーの連携などによって、製品としての機能は大きな進化を遂げた。

最近では、「もみ玉」の刺激によって体に起こる変化を検知し、総合的に分析したうえで、コリ具合に応じたマッサージを行うタイプや、自動的に背筋の位置を測定し、体型に応じたマッサージを行うタイプなども登場している。まさに日本独自の進化をとげた家電の一つであり、現在は日本発の健康家電として北米・ヨーロッパ・アジアでも販売される商品に育っているが、そこに至るまでにはもみ療治という日本にあった文化の反映、大手家電の参入と切磋琢磨など、「にっぽん」らしい要因がからんでいたことがわかる。

六．音楽

電子音楽

二〇一三年、宮崎駿監督の映画「風立ちぬ」が空前の大ヒットを遂げた。注目を浴びたのは、内容の秀逸性に加え、劇中の効果音を人間の声で作り、音声をあえてモノラルで録音するなど、音に非常に拘った点にある。現在では、映画などの効果音は電子機器を用いて作ることが一般的だが、音や音楽にどのように電化が影響を与えてきたのだろうか。

一九世紀頃までは、音楽は楽器の構造的な進歩とともに発展してきた。その後、電気の力を利用した電子音楽が登場するが、電子音楽にはさまざまな手法があり、録音テープを用いることで音質を変える方法や電子楽器を用いる方法が代表的なものとして挙げられる。

前者は、一九六七年に二八〇〇万枚を売り上げる大ヒットとなったザ・フォーク・クルセダーズの「帰って来たヨッパライ」のように録音時にテープの回転スピードを下げ、再生時には通常の回転速度に戻すことでユーモラスな声を作り出すという手法であるが、今回は、後者すなわち電子楽器を用いる手法についてその歴史をだどってみたい。

諸説があるが、電子楽器の出発点は、一九世紀末に米国の発明家ケヒルによって発明された「テルハーモニウム」といわれている。これは発電機と電話を応用したシステムで、大量の蒸気発電機を動力とするため重さは約二〇〇トンもあり、騒音も非常に大きかったため、電話回線経由で音を聞くという非常に珍しいものであった。

二〇世紀初頭になると、真空管技術の応用により、アンテナ間を手で遮ることで静電容量の変化を音に変えて演奏する楽器「テルミン」がソ連（当時）のレオン・テルミンによって発明された。その後、テルミンを応用して鍵盤で音をコントロールする「オンド・マルトノ」や「トラウトニウム」など、さまざまな電子楽器がたくさん登場した。

マグナオルガン
（提供＝ヤマハ）

日本でも、一九三五年に日本楽器製造（現・ヤマハ）の最年少技師であった山下精一が、テルミンにヒントを得て、電気操作により笛やバイオリン、尺八、クラリネット、ラッパなどさまざまな楽器音を自在に奏でることができる鍵盤楽器「マグナオルガン」を発明するなど、同様の動きが起きている。

その後、第二次世界大戦により電子楽器の発展は一旦停滞することとなるが、楽器と電気との融合の歴史は古く、世界中の多くの先人達がさまざまな試行錯誤を繰り返してきたことは間違いないようである。

電子オルガン

オルガンは、鍵盤に対応したパイプに空気を送ることで音が出る仕組みの楽器だが、電気の力を使って電子回路から発生する信号によりスピーカーを介して音を鳴らすことができる楽器が「電子オルガン」である。

一九三〇年代中頃、シカゴの時計メーカーのローレンス・ハモンドは、トーンホイールと呼ばれる刻みの異なる大量の歯車をモーターで稼働させることで音を出す「ハモンド・オルガン」を開発した。大型で非常に重かったが故障しにくかったため、第二次世界大戦中には米軍の従軍用楽器として活用されたと伝えられている。

その後、電子オルガンは真空管技術を使ったものが広く普及したが不安定で故障が多いのが難点だったため、より高い安定性を求めて、トランジスタ式の開発が進むことになる。

一九五〇年代、日本がようやく復興の道を歩み始めた頃、日本楽器製造（現・ヤマハ）の第四代社長の川上源一は、メインアンプに真空管を使う以外はすべての回路に

初代エレクトーン「D−1」
（提供＝ヤマハ）

トランジスタを使用した独創的な電子オルガンの開発に着手した。ＮＨＫ技術研究所やティアック、日本電気の協力を受けながら約七年間もの研究・開発を経て、一九五九年、二八一個ものトランジスタを使用した「エレクトーン」初代機種「D−1」を誕生させた。銀座のヤマハホールで行われた試作機の演奏会では、ポピュラー音楽やクラシック音楽などが奏でられ、新聞各紙は新しい電子楽器の登場に驚嘆の声を上げた。また、クラシック奏者は職を失いかねないと脅威を抱いたともいわれている。

改良による低価格化の実現後には、エレクトーン用楽譜の出版、音楽教室の展開、コンクールの実施、有名ミュージシャンによる使用、テレビでの演奏放映など、戦略的なマーケティングの積極展開もあいまって伝統的なピアノと肩を並べるほど一般家庭に本格的に普及していった。また、一九七〇年代頃には、楽器メーカーに限らず、音響メーカーや家電メーカーなど多様な業界が電子オルガンに次々と参入したが、エレクトーンだけが圧倒的なシェアを持ったのは先述の理由によるものである。

その後、デジタル音源の高度化や集積回路技術の進展により、電子オルガンは次第にシンセサイザーやキーボードなどにその地位を譲ることとなるが、概ね二段の手鍵盤とペダル鍵盤をもつ電子オルガンは、今も高い評価を受けている。

メロトロン

ピアノやオルガンが鍵盤楽器の主流だった一九六〇年代に、「メロトロン」という画期的な鍵盤楽器が登場した。この楽器は一九五〇年代後半に米国のハリー・チェンバリンが作っていた「チェンバリン・リズムメート」というリズム楽器を英国のブラッドレイ兄弟が改良したものである。磁気テープ音源を用いたアナログ再生式の楽器であり、端的にいえば、テープレコーダーを鍵盤楽器にしたもので、それぞれの鍵盤に対応した音程の音を録音したテープを鍵盤の下にセットし、鍵盤を押し込むと対応したテープが回り再生されるという仕組みである。

音を合成するという概念の登場により、鍵盤楽器奏者一人だけで弦楽器や管楽器などの音はもとより、効果音でさえも奏でることができるのである。このため、クラシック奏者から自分たちの仕事が奪われると訴訟にまで発展した経緯もあり、一つの電子楽器の登場が音楽産業に大きな問題を投げかけたのである。

構造は極めて原始的で、鍵盤の押し込み方によって再生ヘッドへのテープの押し付けられ方が変化するため、音程が不安定になるなど独特の特色があった。さらに、音源が磁気テープであるため同じ音を数秒間以上延ばすことができないといった特徴もあった。

メロトロン
（提供＝福産起業）

このように奏者の力量が問われる楽器だが、使いこなすことで音を自在にコントロールできるこの楽器の豊かな表現力に多くのミュージシャンが魅了された。

ムーディー・ブルースやキング・クリムゾン、イエス、ビートルズなど、世界的に有名なロックグループも愛用しており、日本でも、ＴＭ　ＮＥＴＷＯＲＫの小室哲哉が使用した。中でも、「サテンの夜」などでメロトロンを使用したムーディー・ブルースに至っては、メロトロンの特徴になぞらえて、「世界一小さなオーケストラ」とまで言われたほどである。

また、キング・クリムゾンが「クリムゾン・キングの宮殿」によってクラシックやジャズを取り入れたプログレッシブ・ロックという新たなジャンルを作り出したのだが、これは、メロトロン独特の音によって成り立ったものであり、その意味では、電気の力を利用したこのメロトロンという楽器が音楽産業の一分野を築いたということになる。

しかし、一九七〇年代頃になると、シンセサイザーなどのようにデジタル技術によって音を演奏できる楽器が普及したことで、次第に登場の場を失っていくことになった。

シンセサイザー

シンセサイザーは、音楽関係者以外には縁遠いものと思われがちだが、実は昨今耳にする音の多くはこれにより作られている。この楽器は、音の波形や音量などを加工することにより新しい音を合成するもので、奏者が自分の音を作ることができる電子楽器である。

諸説あるが、一九五〇年代に米国のハリー・オルソンが開発した音響合成機器が起源といわれ、当初は壁面を埋め尽くすほど巨大であり楽器というよりも装置だった。その後、一九六〇年代に米国の電気工学者ロバート・モーグが、複数のモジュールをケーブルで接続してさまざまな音を作り出し、鍵盤で演奏できる電子楽器を開発した。装置から楽器に姿を変えたモーグ・シンセサイザーの誕生である。

この楽器は、複雑に交差するケーブルを相互に接続して音を出すため非常に扱いづらく、一度に単音しか出せなかったが、ウォルター・カルロスが「スイッチト・オン・バッハ」で使用したことで一躍脚光をあびた。また、ロックミュージックの世界では、キース・エマーソンをはじめ、ビートルズがアルバム「アビー・ロード」の中の「ビコーズ」に使用するなど、多くのミュージシャンがこの楽器の可能性に気づき、魅了されたのである。

日本では、冨田勲が気の遠くなるほどの時間を費やし、単音しかでないこの楽器の音をいくつも重ねることで名作「月の光」を作ったが、これは彼と親交の深いローラ

冨田勲とシンセサイザー
（提供＝尚美学園大学）

ンド創業者の梯郁太郎が、「当時の性能をはるかに超えた作品で衝撃を受けた」と評するほどに秀逸なものであった。また、日本の電子楽器産業の面では、京王技研（現・コルグ）の「ミニコルグ７００」や、ローランドの「ＳＨ―１０００」、ヤマハの「ＳＹ―１」などが次々と開発された。

その後、一九八〇年代になるとデジタル技術の応用によりシンセサイザーは大きく発展し、小型軽量化と価格低下により広く普及したが、きっかけとなったのは、イエロー・マジック・オーケストラやその影響を受けたといわれる電気グルーヴ、ＴＭ ＮＥＴＷＯＲＫなどが世に送り出した数々のヒット曲である。また、電気の力なしでは創ることができない楽器を創作する明和電機など、新しい音楽の在り方を模索する動きも起きた。

電気の力を利用して音を加工するという楽器の登場が、音楽の世界やこれを取り巻く音楽産業全体に一大潮流をもたらしたことは疑いようのない事実である。

人間の歌声

これまでさまざまな電子楽器について見てきたが、ごく最近までは音の合成とはあくまでも楽器音の合成であった。メロトロンのように楽器音を合成し再生できる機器にサンプラーがあるが、一九九〇年代になると、このサンプラー機能と、シンセサイザーの音響合成・自動演奏機能をあわせもった楽器がソフトウェア化され、パソコンで楽曲制作や演奏を行うことができるＤＴＭ（デスクトップミュージック）が誕生した。これにより、楽器が弾けなくても音楽を作ることができる時代が到来し、音楽を作るという行為は一般の生活者にとって身近な存在となり、その技術も瞬く間に高度化していった。

しかし、ローランド創業者の梯郁太郎が「最高の楽器」（公研、二〇一三年五月号）と評する「人間の歌声」を創ることだけが唯一残された未踏峰であったが、ここに革命的ともいえる技術進歩をもたらしたのが「ＶＯＣＡＬＯＩＤ」である。

これは、ヤマハが開発した音声合成技術の総称でありサンプリングした人間の声を合成することにより機械が「人間の歌声」を奏でるというもので、二〇〇四年に発売された。そしてこれを一躍有名にしたのが、この技術を採用しあたかも少女が歌っているかのような歌声をパソコン上で生成できるＤＴＭのソフト「初音ミク」（クリプトン・フューチャー・メディア社）である。これにより、個人での音楽制作の幅が広がり、作曲・演奏の能力を問わず誰でも音楽家になれる状態になり、レベルの高い楽曲も多数出てきたことで、「ボカロ音楽」という新しいジャンルまで出現した。

これほどにまで発展した背景にインターネットの存在があることは言うまでもない。動画共有サイトで誰でも作品を披露することができ評価を受けられる環境が整っていたからだ。さらに興味深いことに、初音ミクを使って制作された音楽を人間がカバーして歌うという現象も普及し、カラオケにまでなっているのである。そして、VOCALOIDをロボットに組み込んだ事例も出てきており、活用の幅は今も広がり続けている。

「VOCALOID2 初音ミク」
（提供＝クリプトン・フューチャー・メディア社）

　数世代にわたり試行錯誤を重ねながら発展してきた電子音楽だが、人類がついに手に入れた「人間の歌声」は、インターネットと結び付くことで従来一方向だった作曲家と聴衆の関係を大きく変えた。そして、音楽産業という枠を超え、将来はこうした技術がロボットをはじめとするさまざまな技術と結び付きさらに広がっていく可能性を秘めている。

七．安全と利便性

セキュリティー産業と電化

電化によって初めてあり得る産業にセキュリティー、いわゆる業務施設や家庭の警備・保安を行うビジネスがある。一九六二年、欧米の警備会社にヒントを得て飯田亮と戸田寿一が設立した日本警備保障（現・セコム）は、もともと人による巡回警備、常駐警備を行っていた。一九六四年の東京オリンピックの警備で実績を積み、翌一九六五年から同社をモデルに始まったＴＢＳの大人気テレビ番組「東京警備指令ザ・ガードマン」によって広く知られるようになり、翌一九六六年、同社は電化による革新に挑戦する。電気と専用通信回線を使い、異常を知らせる「遠方通報監視装置」の開発に着手したのである。

完成後ＳＰアラームと呼ばれることになるもので、その開発目的には①巡回警備や常駐警備だけでは将来人員が増えすぎ管理できないこと、②急激に人件費が上がって経営を圧迫しており、人的警備だけでは高価格から抜け出せないこと、③人間の尊厳の視点から、機械にできることは機械に、という三つの考え方があった。

SPアラームは当初、「人がいない」という点で不安視され不評であった。しかし、一九六八年に世間を震撼させた連続射殺事件の犯人・永山則夫が侵入した専門学校でSPアラームの警報によって駆け付けたガードマンに発見され、数時間後に逮捕されたことで一挙に名声をあげた。

次第に採用が増加した一九七〇年、セコムは大胆なサービス変更に踏み切った。当時二千軒あった巡回警備を原則廃止し、当時五〇〇軒しかなかったSPアラームへの契約変更を図ったのである。当初は顧客が怒って解約するなど苦労もあったが、一九七一年末にはSPアラーム契約が五千軒を超えるなど、結果的にこの変更が現在セコムが持つ法人、家庭各九〇万軒、あわせて一八〇万軒のセキュリティー・ネットワークシステムの礎となった。

今日のセキュリティーシステムは、異常検知と駆け付けを基本にしながらも、カメラによる見守り、インターホンの画像認証、指紋認証など、電化システムとＩＴシステムの一大集合体となっている。その大きな発展の基礎も実は「警備」という人間が行っている仕事を電気を使って機械化、工業化するという、いわば「電化の鉄則」にあったのである。

出版・印刷産業と電化

電気の登場よりも古くから存在する文明の発展に不可欠な産業で、かつ電化によって大きく今日の姿に近づいたものに出版・印刷産業がある。

出版・印刷の歴史について詳細に学べる場として、東京・飯田橋の凸版印刷小石川ビル内に印刷博物館がある。ここでは紀元前一万五千年頃のラスコーの洞窟壁画からメソポタミアのハンムラビ法典碑、エジプトのロゼッタストーンといった初期の情報記録、明代の中国の紙幣や平安期の阿弥陀如来坐像絵といった初期の印刷、初めての活版印刷である一五世紀のグーテンベルクによる四二行聖書、写楽や北斎の浮世絵をはじめとする図版印刷の歩みといった実に貴重な出版や印刷の歩みがレプリカで網羅されている。

出版・印刷は、言うまでもなく情報の伝播と記録を目的とし、社会の発展・文化の向上に大きな貢献をしてきた。そして、一八世紀の国民国家の誕生と市民社会の形成によって情報の大量・高速伝播へのニーズが高まった結果、出版・印刷は一九世紀から動力を用いた高速化・大量化の時代を迎えたのである。

最初に印刷機の動力になったのは、産業革命の担い手であった蒸気機関である。英国で一八七〇年代に紙にかかる関税が撤廃されたため定期刊行物や出版物の価格が下がったことから、出版・印刷業に大きな先行投資をすることが可能になり、また平圧ではなく回転型の印刷機が開発されたことで、新聞や雑誌の大量印刷が可能になり、ドイツ、英国、米国で相次いで高速・大量印刷の新鋭機が開発された。この時固まった「版は動力と連動した筒型で回転式、紙は平積みから送り込み」というスタイルは、さらに進化して紙も回転式のロール紙供給になっている。

当時の印刷所の様子を見ると、動力源となる中央にある蒸気機関の回転機から放射状にベルトでつながれた何台もの印刷機が動いている。これはちょうど一つの回転軸とつながれた大量の紡織機が稼働する初期の紡績工場とよく似ている。

このように進んだ現代の印刷技術だが、市民社会を担うにはまだ能力不足であった。今日、読売新聞一四〇〇万部、朝日新聞一二〇〇万部をはじめ世界最大の新聞大国となったわが国でも、一九一〇年の発行部数は三〇万部に満たなかった。そうした時期に、印刷にとって大量・高速化への入り口であるオフセット印刷と電気モーター式印刷機の時代がようやく登場するのである。

飛躍する印刷産業

オフセット印刷は、それまでの平板や曲版と紙が接触することで版の磨耗や劣化が起こる、という宿命を克服した技術である。オフセットでは版と紙は直接接触せず、ゴムブランケットの中間転写体を一度作ってそれが印刷機にセットされ、印刷される。

これによって耐刷力があがり、大量・高速印刷が可能になった。

日本では凸版印刷支配人の井上源之丞が早くからオフセット印刷に注目し、試行錯誤を重ねて一九一四年に「オフセット印刷合名会社」を設立して後に凸版印刷と統合した。また、大日本印刷では一九一六年に市谷の第一工場に初めて四六版オフセット印刷機を導入し、以降高速印刷はオフセット印刷に標準化されていくこととなった。

オフセット印刷の登場は、より品質が高く高速で回転する電気式モーターへの印刷動力の切り替えを誘発した。大日本印刷ではオフセット印刷導入の翌年（一九一七年）、本店及び第一工場のすべての動力を電気にして、蒸気・ガス設備を撤去し、一九二二年に完成した凸版印刷の本社新工場も、印刷動力はすべて電気でまかなわれた。

戦後さらなる発展を迎えた出版・印刷産業は、今度は版の部分で一大革新の時代を迎えた。グーテンベルクの時代から続いた活字の組み合わせによる版づくりから写植（写真植字）、さらにはデジタル化（ＤＴＰ＝デスクトップ・パブリッシング）へのシフトである。この写植やＤＴＰの登場は、特に漢字の種類が多かった日本には大きな

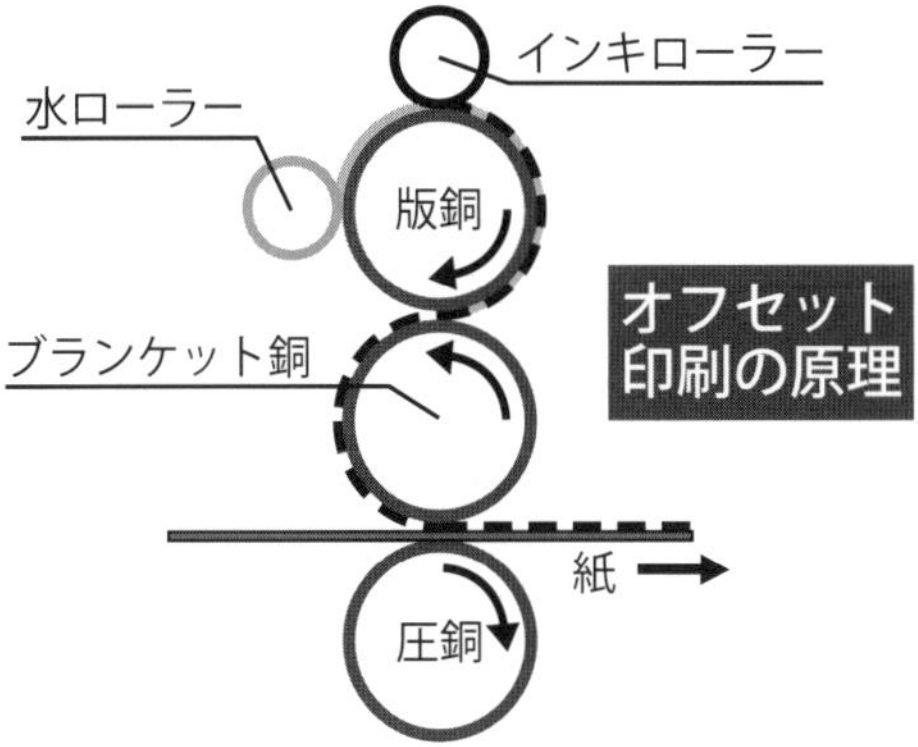

オフセット印刷の原理

技術革新を引き起こし、出版の多様性、さまざまな印刷の低コスト化に大いに貢献した。

今日のわが国は、世界最大の新聞大国である一方、印刷産業の技術で半導体製造装置のフォトマスクや立体三Dステレオ印刷、あらゆる物体や局面への印刷へと進化している。また出版・印刷産業自体も出版社による映像・放送への進出などのメディアミックス化も進んでいる。意外なところでは、凸版印刷が北九州市の東田地区においてデマンド・レスポンスの仕組みの設計・実施を行っているような例もある。電化なくしてはこうした発展がなかったことは言うまでもない。

ＱＲコード

極めて特殊な印刷の一つにＱＲ（Quick Response の略）コードがある。本来はトヨタ自動車の生産管理向けに自動車部品メーカーのデンソー（現在はＱＲコード事業を分社化したデンソーウェーブ）が開発したものである。その開発から現在に至るまでのプロセスを見てみよう。

ＱＲコードの原型は、トヨタ自動車の代名詞ともいえる「かんばん方式」向けに、一九七〇年代から開発が始まった。従来、各部品の箱に取り付けた「かんばん」への情報の記入と読み取りは人間が行っていたが、コンピューターの導入や多品種少量生産への移行の中で生産性を高めるには、機械での対応が求められたためである。さまざまなタイプを検討した結果、デンソーが最終的に選択したのは、米国で発明され、国内の三越やダイエーなどでも試験的な導入を行っていたバーコード方式であった。精度を高めるため、自動車制御技術の研究で培ったマイコンを搭載した読み取り機も自社で開発し、ＮＤコードとして一九七八年からトヨタ自動車で稼働を開始した。さ

二次元バーコードとバーコード

らに、一九八〇年代に入ると同社は、セブン－イレブンなどのコンビニのＰＯＳシステムの分野に進出するとともに、さらなる読み取り技術の向上にも着手した。

　しかし、取り扱う情報の増加に伴い、横方向にのみ情報を持つバーコードには限界が見えてきたことに加え、印字面積が限られた小さな製品などへの対応という新たな課題も生まれていた。これを解決すべく、新たに縦方向にも情報を持たせたのが、ＱＲコードである。一九九四年に完成したこの方式は、トヨタ自動車での試験的な導入などを経て、一九九九年にＪＩＳ規格となった。従来の数十倍から数百倍ともいわれる情報量に加え、ライセンスフリーのため、その適用範囲は生産や物流以外の分野にも拡大し、世界各地での活用も本格化している。店頭や雑誌広告にある

QRコードを携帯電話やスマートフォンで取り込み、さまざまな情報やクーポン券などを得ている方も多いだろう。

このようにQRコードは、生産性の向上を目指して、バーコードをベースに開発が始まった。そして、情報の収容能力を高めながら、新たな分野への展開を図り、情報インフラ的な役割を担うまでになったのである。

八．日本独自の家電

液晶ビューカム

日本の戦後電化史の中で、日本固有のアイデアから生まれ、極めて先端的な生活ニーズを製品化したものを「日本独自の最先端家電」と呼ぶとすれば、それはさまざまな家電メーカーと家電好きな日本人の文化が生み出した独創的な製品群といえる。

その中で、ここで紹介するシャープの液晶ビューカムは、日本がまだバブルの余韻の中にあった一九九二年に発売された。液晶ビューカム発売までのシャープは、カメラ一体型ＶＴＲの国内シェアは一桁台であり、市場ではソニーの「ＴＲ５５（いわゆるパスポートサイズ）」をはじめとするライバルに大きく水をあけられていた。それに対して液晶ビューカムは、九二年の発売以降売れ続け、九六年には国内シェア二五％を超える大ヒット商品となるのである。

一八〇ページの写真にあるように、液晶ビューカムのフォルムは今日私たちが知っ

1992年に発売された液晶ビューカム
（提供＝シャープ）

ているビデオカメラとはかなり違っている。液晶画面は大きく、カメラと画像を確認する液晶はさまざまな角度に設定できるし、一八〇度回せば自分を見ながら自分を撮ることもできる。「弁当箱」とも社内で呼ばれたこのある意味不格好な姿は、それまでのビデオカメラの概念を大きく変えることとなった。もともとシャープ社内では八九年に「ママさんムービー」として、子供の成長を女性でも楽に撮れる、というコンセプトで始まった開発だったが、結果としては仲間で、家族で「楽しく撮り合える」点が消費者に支持された。また「ママさんムービー」としても、子供を撮るのにカメラを目から離して、立ったまま撮れる、という他社製品にはない特徴を持っていた。

その後、ライバル各社の液晶搭載、デジタルカメラの登場や携帯電話へのカメラ搭載などによって、カメラ一体型ＶＴＲの市場自身が縮小したことから、液晶ビューカムはこの市場の主力商品ではなくなり、二〇〇四年に発売した機種を最後に、新製品は出ておらず、今の若い世代にはその存在さえあまり覚えられていない。

しかしながら、仲間で写真・動画を撮り合ったり、共有したりするという行為を考えた場合、その典型的なツールになっているスマートフォンの設計思想、すなわち液晶を見ながら撮影する点、大きさや厚さは違うが板状である点は、液晶ビューカムにとても良く似ている。つまり、液晶ビューカムは、まだ電子部品や画像技術、ネット技術が整わない時代に先端的に姿を現した未来商品だったのかも知れない。

Ｚａｕｒｕｓ（ザウルス）

スマートフォンが普及し、外出先でのメールチェックやファイル確認が、誰にでも簡単にできるようになった今、一つの先進的な機器の存在を思い出さずにはいられない。その名は、「Ｚａｕｒｕｓ（ザウルス）」。シャープが生み出したこの機器は、スマートフォンの原型の一つとしてモバイルデバイスの歴史にその名を残している。

ザウルスは、一九九三年に電子手帳を発展させた「液晶ペンコム（ペン字入力コンピューター）」として誕生した。画面に直接手書きすることで文字を入力できる当時の先端技術を搭載したこの機器は、まさに手帳感覚で使える機能性とスケジュール管理機能などを備えており、ビジネスマンを中心にヒットした。

この画期的なペン字入力機能は、シャープと米アップルの共同研究で開発され、一九九二年にシャープがハイパー電子マネージメント手帳「ＰＶ－Ｆ１」に、翌一九九三年にアップルがＰＤＡ（携帯情報端末）「Ｎｅｗｔｏｎ（ニュートン）」に搭載し発売した。ＰＶ－Ｆ１は、重量、スピード、そして高価格（一二万八千円）がネックになり、売り上げが思うように伸びず、アップルのニュートンも一九九三年から九八年まで販売されたにかかわらず、同じ理由で売り上げは低迷した。

　アップルでは当時の経営陣がニュートンを技術ごと外部に売却してしまったが、その後、創業者スティーブ・ジョブズが復帰した際に買い戻し、二〇〇一年にｉＰｏｄ、その後ｉＰｈｏｎｅやｉＰａｄ誕生に大きく寄与したエピソードは今や伝説化している。

　一方、ＰＶ─Ｆ１の改良プロジェクトに着手したシャープは、約一年後にザウルスへと発展させて再発売にこぎ着けている。この技こそが「オンリーワン商品」を出し続けるシャープの真骨頂であった。

　ザウルスには、電卓の発展と小型化のために開発された独自の技術が惜しみなく注ぎ込まれた。徹底的に機能を絞り込み、液晶の小型・省電力化に先端技術を集中させ、しかも携帯情報端末としての使い勝手を極限まで追求した結果、機能とスピード、電池寿命を二倍に、サイズと重量、価格を二分の一にすることに成功した。「液晶ペン

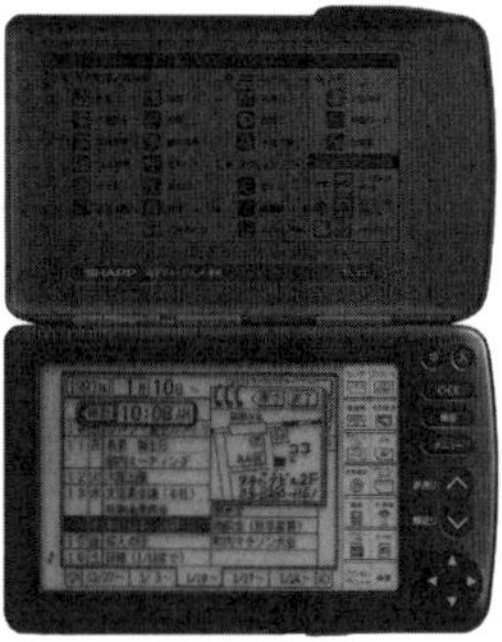

ザウルスの原型ともいえるシャープのハイパー電子マネージメント手帳「PV－f1」
（提供＝シャープ）

コムザウルスＰＩ－３０００」の誕生である。

その後、ザウルスは携帯電話接続でのモバイル通信を可能にし、パソコンとの相互連携も強化、一九九六年にはカラー液晶搭載のＭＩシリーズの発売とともにデジタルカメラを装備（オプション）した。また、音楽や映像の再生など、現在のスマートフォンが持つ機能に匹敵する進化を遂げていくことになる。

さらに、一九九〇年代後半、モバイルデバイスとして完成型に到達したザウルスは、二〇〇二年のＬｉｎｕｘザウルス

ＳＬシリーズの登場により新たなステージに突入していく。

当時はまだあまり知られていなかったＵＮＩＸ互換のフリーＯＳ（基本ソフト）、Ｌｉｎｕｘを採用し、自社開発のザウルスＯＳと決別してしまうのである。この非常に大胆かつ斬新な判断は、独創のシャープならではであり、これにより、ＳＬシリーズはこれまでのザウルスファンに加えて新たな顧客も獲得し大ヒットを記録した。

この通称「りなざう」は、二代目に当たる「ＳＬ—Ｃ７００シリーズ」でひとつの到達点に達する。ウィンドウズＰＣ（パソコン）とのデータ共有、独自のアプリケーションによるエクセルやワードファイルの閲覧・編集機能、外部接続ながら快適なウェブブラウザーやメール機能、さらに音楽・動画の再生にゲームなどの機能も搭載した。しかも、その小さな折り畳み式筐体（きょうたい）に、反転する液晶ディスプレーや、キーボード、ＰＣカードなどのスロットまで備え、まさに超小型ＰＣと呼べる先進性や利便性を実現したことは驚愕の事実である。

またＬｉｎｕｘを採用したことで、世界中のソフト開発者がこぞって独自アプリ

超小型パソコンと呼べる先進性や利便性を実現したザウルスSL－C700シリーズ。写真は液晶ディスプレーを反転させた状態

（提供＝シャープ）

ケーションを開発し、ネット上で自由に流通させていたことも、今日のアップルによるＡｐｐ　Ｓｔｏｒｅの原型としてもっと注目されるべきなのかもしれない。

　このように発展を続けていたザウルスだったが、二〇〇五年頃には、携帯電話の高機能化によりその存在意義を問われ始め、そして、黒船襲来ともいえるアップル・ｉＰｈｏｎｅの登場によって、二〇〇八年には生産停止となった。一時はＰａｌｍ、ソニーなどとともにモバイルデバイスの世界で強固な存在感を示し、究極の小型ＰＣと呼べるような進化にも成功しながら、ＰＤＡ（携帯情報端末）と携帯電話の融合というアップルの新コンセプトに敗れてしまったザウルスは、グローバルスタンダードになり得なかった「日本独自の最先端家電」と言えるのではないだろうか。

その後、同社は「ＧＡＬＡＰＡＧＯＳ（ガラパゴス）」というアンドロイド・タブレット端末を発売し、往年のザウルスファンを喜ばせた。電子書籍ストアも同時にオープンさせるなど意欲的な参入を遂げたが、思うような結果を残せずにいる。

シャープペンの発明に始まり、数々の「オンリーワン商品」を発表し続け、二〇一二年に創業一〇〇周年を迎えたシャープは、最大の経営危機に直面しているが、ザウルスに見られた「オリジナルなものづくり」の復活が、再生の鍵の一つであることは疑いがない。

日本語ワープロ

日本人のITリテラシー、すなわち情報機器を使いこなしていく能力を大きく高めた製品に、今日ほとんど見ることができなくなった日本語ワープロがある。全盛期の一九九〇年前後には、Rupo（東芝）、書院（シャープ）、OASYS（富士通）、文豪（NEC）、ピコワード（ブラザー）、ワープロエース（ミノルタ）、キャノワード（キヤノン）など、十数社が個性的な製品を次々と打ち出し、さまざまな高機能機種などが現れた。その発展はかつてさまざまな分野の出身企業が家電に入ってきたことと似ており、東芝や富士通、NECといったコンピューターメーカーは操作性や高度な付加機能を、精密機械メーカーのキヤノンは内蔵プリンターの性能やスピードを強みとしていた。

また、日本語ワープロの多くはビジネス用としてオフィスで使われていた。世界の潮流は大型コンピューターからオフィスコンピューターに移り、一部企業からパソコンにゆっくり移行していた時代であり、机に全員が日本語ワープロを持っている日本

高級機なみの機能を有しながら10万円を切る価格で発売され、大ヒット商品となった東芝Rupo　JW－R10
（提供＝東芝）

の当時の姿は世界の中でもやや異様であった。

代表的日本語ワープロである東芝Ｒｕｐｏを例に、文書や資料の作成機能がどう実現されていたか見てみよう。Ｒｕｐｏには各機種一貫して「機能１」「機能２」という二つの拡張機能用キーがあり、それと数字を組み合わせることで「コピー」「文字フォント」「検索」「下線」といった作業をできるようにしていた。数表やグラフを作る場合は、上位機種において当時人気ソフトだったＬＯＴＵＳを搭載し、データベース管理機能やグラフィック描画機能を実現していた。最終的にはフルカラー印刷も可能な機種が登場し、その性能はカラーレーザープリンターにも匹敵していた。

これら日本語ワープロの複雑なキー操作で実現していた機能の数々は、現在ウィンドウズのアプリケーションソフトという形で非常にシンプルに呼び出されるようになったし、文書作成には米国発ソフトの和訳版が多く使われている。しかしながら、日本語ワープロの貢献は小さくない。日本語の文書作成に必ず使われる「カナ漢字変換」という仕組み自体が日本語ワープロ発であるのはもちろん、顧客のニーズに合わせた多様で個性的なアプリケーションづくりの姿勢は高機能プリンターや電子辞書にも引き継がれている。

日本語ワープロに見られた自社の強みを生かして異分野に挑戦し、高みを目指す姿こそ、次の時代の日本メーカーの反転攻勢のヒントの一つではないだろうか。

家庭用ビデオゲーム

模倣に始まり、独創を重ねた結果、日本が世界的な影響力を発揮するまでに成長した例として家庭用ゲーム機器がある。これらはどのような変遷を経て、今日の成功に至ったのであろうか。

一九七五年、アーケードゲームの開発事業者だったＡＴＡＲＩ社は、卓球ゲームの家庭用ビデオゲーム機「ホームポン」を開発した。本体にあるパドルの操作により、画面上のラケットを動かしボールを打ち合う単純なゲームだったが、当時、米国では店頭に列を成すほど大ヒットした。

日本でも家庭用ビデオゲームの隆盛が起き、一九八一年にエポック社が「カセットビジョン」を開発した。カセットを取り換えることで、いろいろなゲームができる特徴を持ち、ＡＴＡＲＩ社のホームポン同様に、本体には電源と操作部のみ搭載された（ＣＰＵ〈中央演算処理装置〉はカセットに搭載）ため、本体価格の抑制に成功し、発売当初から非常によく売れた。

その後、一九八三年に任天堂から「ファミリーコンピュータ」が発売された。誰しも知るところだが、八〇年代後半まで市場をほぼ独占するほど爆発的に売れた。子供たちが没頭しすぎ、学校をずる休みするという社会問題にまでなったほどである。ファミコンは、カセットビジョンにみられるカセット取り換え式（ゲーム内容交換方式）の流れを受け継いでいたが、これに加え、どのような独創があったのだろうか。いくつか特徴を見てみたい。

まず、専用に開発した八ビットCPUを本体に搭載することで得た高い性能とターゲットを子供に絞りゲーム専用機能に特化することで実現した低価格（一万四八〇〇円）があるだろう。

次に、コントローラーが本体に搭載されているという従来の概念を破り、手元で操作できるケーブル接続式のコントローラーを持つことで、多様な操作が可能となり、ゲームの幅を広げたことが挙げられる。ちなみに、コントローラーに十字キーと二つのボタンを持つこの設計は、同社が一九八〇年に発売した「ゲーム＆ウォッチ」が起

カセットを取り換えることでいろいろなゲームが楽しめるエポック社のカセットビジョン
（提供＝エポック社）

源である。

　そして、最大の特徴は「ドンキーコング」や「スーパーマリオブラザーズ」といった魅力的なソフトの充実である。絶大な人気を誇ったこのようなソフトは枚挙に暇がなく、低価格なハードでまず市場への普及を図り、ソフトの継続的な販売により利益を出すというこの手法は、その後のゲーム市場の主流となったと言っても過言ではない。

　いまや世代を超えて広く普及した家庭用ゲーム機は、多くの家電と同じように模倣から始まり独創を重ねて、世界へ発信する日本発文化にまで登り詰めた好事例に違いない。

ファミコン以降の家庭用ゲーム機

一九八三年の発売以来、家庭用ビデオゲーム市場においてファミリーコンピュータ(任天堂)が圧倒的なシェアを誇ったが、その後の変遷を見てみたい。

一九八七年に「PCエンジン(NECホームエレクトロニクス)」、一九八八年に「メガドライブ(セガ)」がそれぞれ発売され、対抗して任天堂も「スーパーファミコン」を投入するなど、ゲーム機本体は高性能化を競うようになった。任天堂はその抜群の知名度と、ソフト提供会社を囲い込むことにより、ファミコン成功の大きな牽引力となった魅力的なソフトをさらに充実させることに成功し、依然として市場のメーンプレーヤーであり続けていた。

このような状況下、一九九四年、ソニー・コンピュータエンタテインメントから「プレイステーション」が発売される。スーパーファミコンに比べて特徴的なのは、主流であったカセット式のソフトウエアではなく、ＣＤ－ＲＯＭ式を採用した点にある。これにより、大容量化に加え、ソフトの製造原価の低減と需要の変動への即応が可能になったため、ソフト提供会社の多くは、ファミコンからプレイステーションに乗り換えることとなった。

その後、二〇〇六年、任天堂は「Ｗｉｉ」を発売する。ＣＤ－ＲＯＭ式ソフトウエアに加え、従来のゲーム機のようなコントローラーではなく、リモコンのように片手で持ち、実際に動かす直感的な操作で遊ぶことができるようになった。この画期的なインターフェースに、美容や健康に関するソフトウエアの展開もあいまって、ゲームは子どものものという概念を打ち破り、文字通り老若男女が共用し、一緒に楽しむことが可能となり、市場は大きく拡大した。この点から、Ｗｉｉはある意味では家族間のコミュニケーションツールともいえるだろう。

二〇〇〇年代後半になると、スマートフォンの普及とともに、携帯電話がゲーム機本体としての役割を担うようになる。ゲームソフトを無料または低価格でダウンロードし、空いた時間に手軽にゲームをすることができるため、これに興じる人々を街中の至る所で目にするほど広く普及している。

これまでゲーム機の変遷を見てきたが、ゲーム機自体は家族共用の場で使われるようになった一方、スマートフォンに吸収されて姿を消しているという面もある。この先は一体どうなるのだろうか。家族共用の場で使われるゲーム機ではバーチャルリアリティーがより一層追求されることも考えられる。また、個人用アプリでは、学習モノや教養モノが広く普及し、ファミコン時代には子供たちが勉強しなくなると言われたゲームが学びの必須ツールになりつつあるのかも知れない。

第3章　対談　にっぽんの家電は何をめざすのか

対談

にっぽんの家電は何をめざすのか

一色正男×橋爪紳也

神奈川工科大学創造工学部教授
同大学スマートハウス研究センター所長

大阪府立大学21世紀科学研究機構特別教授
同大学観光産業戦略研究所所長

橋爪 戦後日本の高度経済成長を牽引してきたわが国の家電産業ですが、最近は活路を見失っているようにも見えます。しかしまだまだ日本には最先端の技術があり、これまでの歴史の中のヒントや技術をうまく活かしながら電気の未来を切り開いていけるのでは、というのが「にっぽん電化史」で書いている問題意識です。そこでこの対談では、ぜひ、家電技術の最先端で挑戦されている一色先生に、これからの「にっぽんの電気」が何を目指していけばいいのかをうかがいたいと考えています。

まずは、これまでの先生と家電の関わりからうかがえますか。

一色　私はもともとエアコンの設計などを長くやってきたのですが、東芝の住空間研究所というところにいましたので、いろいろな家電を見てきました。社会人になったのが、いまから三〇年くらい前です。そのころは、ちょうどインバーターが家電製品で使われるようになってきた時期なんですね。家電機器でのインバーターの導入はエアコンが先行していましたので、そこで培った技術を洗濯機や電子レンジ、冷蔵庫などさまざまな家電に展開する、それを技術的にサポートする仕事をやってきました。

一色正男氏

橋爪　家電へのインバーターの導入は、どのような変革をもたらしたのでしょうか。

一色　新しい付加価値を付けるという意味でも、家電業界では昔から一番大きなテーマになっていたのが省エネです。一〇年前の機種よりも今のものは電気代が半分ですとか、使用する水の量が半分で済みます、ということがお客さまにダイレクトに訴求できますので、そこに技術のすべてをつぎ込んできたといえます。

エアコンに関しては、インバーターを入れることで、馬力に相当する能力が強くなり、さらに低い能力も出せるという、ダイナミックレンジが広がりました。つまり、強力な馬力で早く暖め、暖まったらパワーを落として設定温度に沿った省エネ運転ができるようになりました。

橋爪　メーカー同士で競い合うポイントはどこだったのですか。

一色　それは、他社製品よりも電気代が一円でも安く上がりますということだと思います。結局、省エネ競争です。私が入社して一五年くらい経ったときに、経済産業省が「省エネバンカード」という、いろいろな機器の省エネ性能をしっかり評価しましょうという取り組みをやって、家電機器がより省エネになっていきました。

もちろんインバーターだけで省エネが達成できるわけではなく、すべての部品が良くならなければならないので、いろいろな技術開発は必要です。

橋爪紳也氏

橋爪　省エネがどんどん進み、メーカーにとって次に大きな課題となった点は何ですか。

一色　ある程度の技術レベルになって世界でも日本の家電機器が普及しましたが、一方で円高などをきっかけに工場の海外移転が進み、技術の流出も起こるようになってしまいました。日本側から見ると流出ですが、移転先からすると新しい技術を獲得して、より良い製品をいろいろな国で作ることができるようになるということです。そうすると家電機器は単品で売ることがだんだんつらくなってくる、つまり利益が得られなくなってくる。もちろん日本の場合は国内にもライバル企業が多いので、価格競争が激化していくということで利益が落ちていくという状況に直面したのです。

そこで家電機器を単品で売るビジネスから、何か別の付加価値を提供できないかと考えるようになりました。

橋爪　そこに家電機器をネットワークでつなぐという発想が生まれたわけですね。

一色　そうです。ネットワーク化には、これまでブームが三回ほどありました。第一次ブームは二〇年くらい前のホームオートメーションといわれるもので、九〇年代にはいろいろな家電機器にＨＡ端子を付けようとする動きがありました。ＨＡ端子は照明やエアコンなどのすべての機器を一斉に動かしたり、止めることができます。

オンかオフかを二者択一する操作で、全体の七割くらいは満足してもらえました。しかし、日本ばかりでなくアジアの人たちは、例えばシャッターを上げたり下ろしたりするという動作でも、途中で止めたりすることを求めるんですね。

暖房で使っているエアコンも止めてしまうと「なんで止めるんだ。温度を下げればいいじゃないか」とクレームがきてしまう。でも、そういうことはＨＡ端子ではうまくできないんです。

ネットワークを使って家電機器を一斉に操作できることは分かったのです

が、何か違うねということになって、今から一五年ほど前に、「ＥＣＨＯＮＥＴ（エコーネット）コンソーシアム」というものができました。それが第二のブームのはしりです。それまでの反省から、リモコンで操作できるコマンドを細かいところまで共通にして、オン・オフだけでなく細かい操作を全部行えるようにしようと決まりました。それが、ここ数年のＨＥＭＳやエネルギー・情報通信の融合という第三のブームに結実しているといえます。

橋爪　「エコーネット」はメーカーを超えた連携を目指したわけですね。

一色　そうです。メーカーの枠を超えて同じコマンドで操作できるというのはその時がスタートです。

橋爪　海外でも同じような動きはあったのでしょうか。

一色　三年前にネットワーク化の第三次ブームが起きはじめたときに、海外の事例を調査しました。すると細かいコマンドを定義している国はないんですね。海外では今、ちょうど日本が二〇年前にＨＡ端子でやったものと同じものがあちらこちらで行われています。結果は日本と同じような理由から上手くいっていません。そういう意味ではこの分野は日本がだいぶ進んでいるといえます。

橋爪　海外での省エネに対する意識はどうなのでしょうか。

一色　全体的な環境エネルギーという意味では意識は高いのだとは思います。ただ、個々人の生活観として、省エネはほとんど意識されていないのではないでしょうか。

橋爪　そうですね。米国の場合は、インバーターも付いていないような旧来のエアコンが多くて、機器自体の買い替えや直接のオン・オフを中心にエネルギー・エフィシェンシー（エネルギーの効率利用）とかデマンド・レスポンスとかが進められている段階でしょうか。そもそも省エネを全然やっていないから、スイッチを切るとすごく効力が発揮されているというレベルの話で、日本とは違う世界のように感じます。

一色　米国では、現実にはオン・オフの機能を独自規格として作っています。たとえば、通信規格の一つであるＺｉｇＢｅｅ（ジグビー）などで、自分たちの仕組みに適合した機器を通信部品からすべて用意して、リモコンで操作するとしっかり動きますよといって商品として提供しています。グーグル社が買収したＮｅｓｔ（ネスト）社も同じような会社です。そういう意味では、最近ではビジネスとして省エネ意識が高まっているのは事実です。でもやっぱりオン・オフしかできないものしか実際はありませんでした。

橋爪　日本ではスマートハウス向けの通信規格として「エコーネットライト」が一色先生たちによって作りあげられ、国際標準規格となりましたね。

一色　三年前に日本としてどうするのかを議論したときに、海外に素晴らしい規格があればそれを採用しようとしました。海外により良い規格があるのであれば、今さら日本版を作らなくてもいいわけです。いうなれば、ガラパゴス化しないように気を付けました。それを電力会社や電機メーカーなど関係者を集めて話し合い、海外の状況を調べてみると、規格自体は世界に二つしかなかった。欧州のＫＮＸ、米国のＳＥＰです。しかし、実際に調査に行くとＳＥＰは規格のコンセプトは決まっていましたが、細かいコマンドは共通化されておらず、ＩＰにも対応していない。欧州のＫＮＸもＩＰには対応していません。認証された部品は二千個くらいあるのですが、広いリビングのある家などでは使えても、日本の家の実態に合うものではありません。

橋爪　日本の場合は、六畳間用とか十畳間用とかきめ細かい設定があって、日本独特の住宅の狭さというのが、日本独自の高機能の家電を生み出してきたという歴史があります。アジアの住宅事情も恵まれていないので、そういうところに日本の可能性があるとこの本では紹介しています。

一色　実際にそうなんですよ。アジアの人たちは日本製品が好きですよ。日本のエアコンも米国から入った当初は一体型のエアコンでした。しかし、日本に入ってきたら騒音が気になるということで、室外機と室内機に分けたセパレートタイプが日本で誕生しました。さらに、両機ともに省エネ性能を向上させた結果、それがアジアで評価されて、香港などではほぼすべてこのタイプが採

用されていますよね。
　今では、この流れが欧州にも伝わっています。欧州も音が静かで、個別空調の方が省エネではないかと。欧州では地域に冷暖房センターがあって、パイプラインでほとんどの家庭につながっています。しかし、個別の部屋にエアコンを設置したいという需要が増えています。

■家電のネットワーク化について

橋爪　いま、最先端の技術である家庭内の家電をネットワーク化するスマートハウスの研究は非常に注目されており、この技術が未来の家電機器の可能性を広げると期待されています。

一色　日本でスマートハウスといわれるものはまだ五〇万世帯です。それもこの二年間に、ハウスメーカーが家庭で使用するエネルギーの「見える化」をPRして新築で導入できた件数です。日本の住宅は全体で五千万世帯ですから、割合でいくと一％しかありません。このレベルでは、スマートハウスの中に家電機器の未来を切り開くすばらしいコアな要素があるのかどうかはまだ分からないという状況だと思います。しかし、これからの技術であるのは事実ですし、いろいろな取り組みを行って、少しでも知ってもらう努力をしなければなりません。

橋爪　一色先生は神奈川工科大学の「HEMS（エコーネットライト）認証支援センター」の所長を務めておられ、センターではスマートハウス向けの標準通信規格である「エコーネットライト」に対応した機器の製品開発環境や相互接続環境を提供したり、機器の認証支援を行っておられます。また、いわゆるBルート、「エコーネットライト」規格におけるスマートメーターとHEMS機器間の通信に用いられるアプリケーション通信仕様の認証業務をやっておられますね。

一色　センターにはすでに約二〇〇機種が持ち込まれていますし、スマートメーターではすべての電力会社がこの認証を取得することが必須化されました。すでに認証取得済みのスマートメーターも誕生しており、二〇一五年には七〇〇〇万台の導入が見込まれています。

スマートメーターは一つのキーになる機器です。この機器のおかげで、家庭で使った電力量をそのまま把握できます。これまで月間使用量しか把握できなかった情報が、三〇分ごとの使用量を把握できるようになって、細かな省エネが評価できるようになります。スマートメーターは、これから日本のインフラを支えることになると思います。

スマートメーターと電力会社を結んでその結果をインターネットなどで見る「Aルート」もそうですが、メーターから直接リアルタイムでデータを飛ばし、情報機器で活用できる「Bルート」によって家庭側でデータがよりダイナミックに使えるようになることで、例えばエアコンの強弱が電気の使用量のデータとして目に見えるようになるわけですよ。今まで分からなかったことが、目に見える形で分かるようになる。これはすごいことで。

橋爪 自分がどれくらい電気を使っているか、電気代でいくら分使っているかまで分かるようになるわけですね。

一色 それが大きい。これが期待することの一つです。

この三年でさまざまな機器をつながるようにしましょうということでやりましたので、ある程度、各工業会の協力もそろってきています。家のなかの家電機器だけでなく、EV（電気自動車）のデータも充放電機器を通じて「エコーネットライト」の規格で情報を集めることができます。これがインフラとしてのスタートです。大事なことは、このインフラを産業の発展にちゃんと使うこととあわせて、海外も視野に発展させていくことです。すでにマレーシアとかシンガポールの関心は高く、要望が寄せられています。

橋爪　モデル的なプロジェクトなんかもあるのですか。

一色　あります。「エコーネットライト」の第二の認証センターをマレーシアに設立する予定です。

橋爪　スピード感がありますね。

一色　「エコーネットライト」は国際標準化機構（ＩＳＯ）および国際電気標準会議（ＩＥＣ）規格として国際標準はとれているので、デジュール標準（公的な機関での話し合いの結果、標準に採用）にはなっていますが、重要なのはデファクト標準（事実上の標準）になることです。

橋爪　せっかくいい製品を生み出しても、デファクト標準で出遅れてしまってきた。だから日本製品は、ガラパゴス化になってしまうことが多かったのですね。

一色　これからは、そうならないようにするため、海外の国々と連携していくことが重要だと思っています。そこでまず、アジアの国々と連携した戦略をとっています。

橋爪　経済産業省で一万件の大規模ＨＥＭＳ実証を行っており、エネルギーを「見える化」するだけではなくて、いろいろなサービスも取り入れて生活の質を高めようというビジョンができていますが、色々な可能性が広がりそうですね。

一色　その実証には大変期待しています。個々に有意義なことをやっても、インパクトは小さい。ある程度集まった中で実証を行うと、多くの人の目に触れながら、参加者同士が互いに競い合ってより良いものになっていく。そういう実験ができるのがいいですよね。

橋爪　例えば、自分の家でどれくらい省エネをしているのかを、隣の家と比較できるようになったりするのですか？

一色　ネットワークを使って見られるようになります。携帯電話などを使えば自分が地域で何番なのかを把握することができます。また、成績上位の人の取り組みも分かるようになります。いずれにしても、こういうことは楽しんでやらなくてはいけません。

橋爪　まじめな日本人としては必死になるのかもしれませんが、なにより楽しめるというのは、重要な要素でしょう。

一色　しかも、いろいろな業種の人が集まることで可能性が広がります。

橋爪　宅配会社やセキュリティ会社、高齢者が対象の企業では見守りやケータリングの会社が入ってくると、エネルギーのプラットフォームが生活全体を支えたり、企業側にとってもそのプラットフォームが新しい成長の機会となる可能性もありますね。

一色　大きなビジネスになるかどうかは別にして、スモールビジネスはたくさん生まれます。スモールビジネスが活性化しないと大きなビジネスも動きません。

橋爪　本当は新しく街を作るところから始めれば、新しい規格を入れやすいでしょうが、少子高齢化が進む日本は難しいですね。その点、これから人口が増えるアジアの都市であれば、最新の技術を当然のインフラとする新しい住宅開発が面的にもできるかもしれません。

これからスマートコミュニティーを利用して街づくりするときは、情報をタブレットで見るのか、テレビを利用するのかは分かりませんが、やっぱりそういうものを標準化して、地域の医療サービスの情報が簡単に分かるとか、ゴミ出しの日が分かるとか、近所の物々交換の情報が手に入るなど、そんなことができればおもしろいと思っています。

一色　そうですね。地域によっていろいろなサービスが作り上げられるといいですよね。

橋爪　スマートハウスを超えて、コミュニティ全体を支える。

一色　まさしくそうですね。今おっしゃったようにネットワークを基盤としたいろいろなサービスが付いてくると本物になりますよ。

■どのような家電が世界に求められているか

橋爪　この本の目的の一つは、戦後から今日に至る家電の歴史を振り返りながら、日本の進むべき道を探ることです。今後世界に向けてアピールできる革新的な家電、世界から求められる家電のイメージはどのようなものでしょうか。

一色　基本的に日本にはまだ、本当の製品開発力はあると思うんですね。製品の企画力もある。今まで培ってきた部分もあるので、やっぱりオリジナルの製品開発力は日本の企業はまだ持っています。一方で、技術のコモン化が進んできたので、すぐに海外でもできちゃうということは事実です。そこで大切なことは、いま一度、お客さまの生活をきちんと見つめて生活型家電に求められる付加価値は何かを再考し、住宅などの建築分野と融合させた領域で各メーカーが連携することで革新が生まれるのだと思います。

もう一つの視点。日本がやっぱりいいなと思うのは、この一五年間、ネッ

一色先生の研究室の学生が作ったクリスマスツリーを遠隔制御できるタイマー付きのスマートフォン用アプリケーション。雨の日には消すなどの細かな設定もできる。また、見たい人がツイッターでコメントすると点灯する。

トワークの規格化を家電業界がやり続けてきた事実です。継続は力なりですよ。だって、同じコマンドで家電量販店に並んでいるすべてのエアコンを動かすことができるような国は、ほかにはないですよ。

うちの学生が作ってくれたコントローラがあるんですけど、これで指示を出すと家電製品は全部動きます。これは実際には奇跡に近いくらいすごいことで、たぶん世界に比べて一〇年は早くやっている。これから先はせっかくの日本の得意技を活用して、たとえガラパゴス化と言われようとも携帯電話のサービスとつないで、どこの会社の製品ともつなぐことができるようなプラットフォームを作っていくしかないと思います。

問題は、このプラットフォームを使ったビジネスが、日本は下手だということです。「エコーネットライト」みたいなプラットフォームがあり、ハードをつなげていくメーカーがいて、もう一方にサービスを展開する会社があるとすると、サービスを展開する人を増やすことが重要なんです。これが今までできなかった。

橋爪　この本におさめた連載を書く上で、いくら機能だけを向上させてもだめで、楽しかったり、前例にないものではないとだめだということをよく話していたんですよ。いかにサービスとして魅力あるものにしていくかは、大事な視点ですよね。導入初期は、エンターテインメントや遊びからから興味を持ってもらい、その後に普遍的な価値観を持った技術として広がっていくと。

一色 日本の技術は本物だからいいんです。決しておもちゃではないんですよ。実際に使っている家電機器が全部動きますから。だからそういった設備機器などもアプリさえあれば携帯電話で動かせるようになるし、そうすることでビジネスの形も変わってきます。

橋爪 私は、ガラパゴス化とは何だったのかということをもう一度再評価しなければならないと思っています。ガラパゴス化とは、ほぼ「日本化」と同じ意味で、日本の場合はグローバルスタンダードを導入するときも、日本独自の感性とかアイデアを加えて、日本に適応させてきました。これは、すべてに当てはまると思うんですが、最近はすぐにガラパゴス化と卑下していますが。だけれども時間をかけて見てみると、「日本化」された技術が世界の次の技術に貢献するものなっている場合もあると思います。

また、技術だけでなくデザインとか基本的なコンセプトのところで、日本でたくさん生み出されてきた独自のアイデアが、振り返って再評価されることはほとんどありませんでした。私はそこに次の世代につながる大事なアイデアの根っこがあると思います。先ほど、一色先生がおっしゃったように継続してきた取り組みのなかから、次の時代を支える、世界に貢献できる新しい日本発の技術が生み出されるようになると思うんです。

同時に、オリジナルなアイデアをたくさんだせるような教育も必要だろうし、独創的な経営者やクリエイティブな企業がどんどん湧いてこないといけないと思います。

一色　本当にその通りだと思います。ただ、これまでよくなかったのは、せっかくいいアイデアが湧いてきても日本語で作って、日本人に受ければいい、と思っていたところなんです。国内にもそれなりに市場がありましたから。でも最近の若い人はグローバルな視点でモノを出すようになってきています。例えば最初から英語でゲームを作るようになってきました。少しずつ変わってきているとは思うのですが、日本で作ったプラットフォームを日本のものだと言ってはいけないと思うんですよ。だから「エコーネットライト」も「日本の」というふうに言わないようにしています。

最低でもアジアだと。アジアのプラットフォームからスタートです。本当はワールドと言えばいいのですが、言いきれないところが日本的なんですよね。

今回もせっかくやるんだからプラットフォームビジネスだと言ったとたんに、ワールドになるんですよ。参加企業のなかには、うちは日本の中だけですという会社もあるけれど、そうじゃないんだと。やっていることを世界に発信して、世界に出ていかなければいけないんだという視点を共有することが大事になってくるのではないでしょうか。

橋爪　アジアの、さらにいえばワールドのプラットフォームとして広げていくためには、オープンであることが重要ですね。

一色　オープンであることはものすごく重要です。オープンだと世界中の人がだれでも参加できます。今回、日本で始まった「エコーネット」ですが、ライトにした時にオープン化しました。だから「オープンエコーネットライト」なんですね。オープンにしたとたんに面白がって色々な人が加わりファンも広がる。小さいものも含めて大きくビジネスが広がります。

橋爪　特定の限られた研究開発機関だけに頼るのと、世界中の何千人もの専門家が参画、公開でイノベーションをはかるのとでは間違いなく大きな違いが出てくるでしょう。ものによっては何万人もの消費者の意見を組み入れることもできるでしょう。

一色　それがオープンの面白いところです。そのオープンの世界では、日本の伝統も活かせます。

だれだって信頼できる製品を使いたいし、とくにアジアでは日本の製品に対する信頼度はとても高いですから。

橋爪　従来の日本の発展はキャッチアップ型で、ライバルがおり先行事例があるなかで針路を見いだしてきたけれども、ライバルの姿は見えにくくなり、なにが付加価値なのかも分かりにくい時代を迎えてしまいました。平安時代まで遡れば中国の文化を入れてジャパナイズし、近代以降は西洋の文明を取り入

れながらジャパナイズしてきましたし、戦後は米国のライフスタイルを見ながらそれを日本化してきました。そして今、われわれが手本とすべきものが分からなくなってきているなかで、これからの針路を自ら見いだして世界のなかで勝負していかなければならなくなっています。

今日の対談で取り上げたオープンなプラットフォームに注目すると、オープンな世界のなかで、日本ならではの独自性をいかに融合していくかが重要なのではないでしょうか。日本固有の事情から生みだされた特殊なもののなかから、世界で普遍的な価値を持つようになったものがこれまでもあったのです。計画的なキャッチアップ型とは全く違う自由度の高いオープンな世界で、今一度日本が培ってきた実績が活かされるといいのですが。

一色 確かに日本にはまだまだオリジナリティーがあるはずですからね。

橋爪 その日本のオリジナリティーに、実は世界があこがれている面があります。エキゾチックなのにハイテクイメージというのも新しい感覚だと思うんです。

一色 そんな世界が求めるイメージの革新的な家電機器を生み出せるといいと思います。

橋爪　ありがとうございました。

（二〇一四年一二月一九日　対談）

一色正男（いっしきまさお）

神奈川工科大学創造工学部ホームエレクトロニクス開発学科教授、同大学スマートハウス研究センター所長。慶應義塾大学大学院政策・メディア研究科特任教授。

１９５６年東京都生まれ。１９８２年 東京工業大学理工学研究科修士卒業。１９９９年東京農工大学大学院工学府博士後期課程修了。

慶應義塾大学特任教授（２００９年1月~２０１４年5月、２０１４年10月~）、２０１２年より神奈川工科大学教授。情報処理学会会員、同CDS研究会幹事２０１０·２０１２。

機械学会会員、ＥＣＨＯＮＥＴコンソーシアム２００８運営委員長、現フェロー。W3C Site Manager 2009-2014。

経済産業省ＨＥＭＳタスクフォース座長。ＨＥＭＳ認証支援センター長。

第4章　にっぽん電化の未来へ

「電化大国」の理由

本書もいよいよ終わりに近づいている。ここまで、わが国の家電産業の歩みと未来へのヒントを紡ぎ出すために、文明や文化というキーワードを通じて「電化の本質とは何なのか」を考え、電化と並んで近代の人類の代表的変化である都市化とのかかわりを見て、さらには戦後の日本の発展を支えた日本独特のさまざまな生活産業の電化を振り返ることで、「電化大国」としてのわが国の実力とそこに至る人々の努力を見てきた。

その中に未来に向けた日本の電化の再構築のヒントとなるようなものはあっただろうか。本書を締めくくるにあたって、もう一度原点に返る意味でわが国が家電をはじめさまざまな産業にわたる電化大国として発展してきたことの本当の「理由」を探り、そこから学び取れるものについて考えてみたい。

わが国の目覚ましい電化は、家庭電化製品、空調や給湯といった住宅設備、医療やマッサージ用機器、ゲームをはじめとする娯楽や音楽にかかわる機器など、実に幅広い分野で進んできた。また、第二章で取り上げたような日本の戦後の発展を象徴する食品・飲料製造、自動車や船舶の内部設備、あるいは自転車・電車・自動車の走行動力なども電化の影響を大きく受けた。これらの歴史を紐解いていくと、実はわが国が電化大国として世界をリードする国になった理由に大きく三つの理由らしきものが見てとれる。

自由による電化

まず一つめは、「自由による電化」というべきものである。戦後の日本はそれまでの社会規範、つまり主婦とはこんなもの、食事とはこんなもの、音楽とはこんなものといった社会規範、意識、ルールがいったん壊れ、自由な環境の中で社会が復興・進歩していた。

家庭電化製品の場合でいうと、米国で一九二〇年代に家電普及が進んだのに対し、わが国で進まなかった理由には、技術・製品の不足、所得の低さ以上に「婦徳」や「お手伝いさん」との戦いがあった。家庭婦人は苦労して家事をするもの、上流階級は使用人がいて家の炊事洗濯をこなすものという社会規範が、家庭の電化を妨げたのである。しかし、敗戦によってそれが失われ、国民の多くが平等に貧しくなり、かつ再び豊かになる中で、人々は素直に生活の便利さや快適さを受け入れるようになった。これが、メーカー各社のイノベーションを刺激し、三種の神器から3C、さらには炊飯器、除湿機、温水洗浄便座など、わが国独自の「タブーなき電化」に繋がったといえる。

同じことは食品や音楽にも当てはまる。戦後のわが国はパン食や牛・豚肉の日常的な摂取など、米国からの支援を受けて食文化の一部を作り直し、その中で世界でも類を見ない多様で繊細な冷凍食品のラインアップを持つことになった。これは、貧しさゆえに「作る」側の食文化の再構築と併行した出来事であり、食文化の自由化が作り出した電化であった。また、音の電子化や電気性音楽の成長は、もともとは欧州・米国のロック音楽に発祥を持つものだが、逆にクラシック音楽の伝統が薄かった日本でこそ、自由に電子音楽を取り込んだ音楽が圧倒的に大衆化したといえる。たくさんの家庭にエレクトーンがあり、ほとんどの高校生バンドがシンセサイザーを操り、ボーカロイドが大活躍する風景は、音楽スタイルに関するわが国の「自由」の象徴でもある。

しかしながら、そうした「自由」を持たないことで、世界の中で電化が遅れている分野がないわけではない。例えば、近年の輸入家電の代表例であるロボット掃除機のアイデアは、以前から国内でもあったものの、無線運用のための技術基準を定めた電波法への抵触を避けるため、開発・販売が遅れたと言われている。また、医療分野の電化では、混合診療や医療規制の強い中では「ダ・ヴィンチ」のような手術ロボットは生まれにくい。そして、輸送手段の電化については電気自動車が中心であるが、わが国では、細やかな規制の下で開発・販売が行われている。これに対して中国では、個人から大企業に至るさまざまなメーカーが市場に参入し、野心的な電化を展開している。

これらの分野でわが国が電化大国であるための規制や政策については、一考の余地があるのではないだろうか。

優れたユーザーが作る電化

二つめは、「厳しく貪欲な消費者・ユーザーの眼による電化」と言うべきものであり、世界の中でも非常に品質に厳しく、色々な機能を使いこなせるわが国の消費者や電化システムを使う企業、わが国の社会事情の存在が世界に通用する電化大国を育てたパターンである。

ある地域で優れた製品やサービスが生み出される条件の一つに、その分野の製品・サービスに対するレベルの高い、多くの消費者の目利きと購買意欲（いわゆる「需要条件」）があることを経営学者マイケル・E・ポーターが「クラスター・ダイヤモンド」理論で示したのは一九九〇年、「国の競争優位」においてであった。これまで都市と電化研究会が取り上げてきたわが国の電化にも、このような消費者の厳しさや細やかさが作り上げた例が多く存在する。

わが国が家電王国への道を開く端緒となったカラーテレビの隆盛は、ほかの国では見られなかった画質へのこだわりから始まった。メーカー側が「キドカラー（日立製作所）」や「パナカラー（パナソニック）」、「トリニトロン（ソニー）」などの開発競争で購入意欲を刺激し、これに伴う画質の向上が消費者の眼を育てたことで、世界市場を席巻する製品を生み出したのである。また、七〇年代に本格化したマイクロエレクトロニクス関連技術の導入は、家電をはじめとするさまざまな電化製品の細やかな制御を可能にしたが、その効能を理解する消費者の存在が、大きな役割を果たしたことも事実である。そして、九〇年代に入ると、温水洗浄便座やマッサージチェアも普及段階に入ったが、これらは、もともと医療用や業務用だったものを家庭でも使ってみたいという消費者の思いが市販につながった、わが国独自のパターンである。

しかしながら、消費者の眼が牽引してきたわが国の電化も、多様な機能を使いこなせない高齢世代の増加や長期不況を背景とした購買意欲の低下、新進国からの安価な競合商品の流入などで危機を迎えている。また、短い商品サイクルへの対応に翻弄され、高い品質や個性、開発能力を発揮する機会を失うメーカーも多く出現している。このような消費者やメーカーの変質もまた、国内家電メーカーなどの衰退の一因といえるのではないだろうか。

わが国独自の電化

最後に三つめは、わが国にしかなかった電化機器、いわば「ガラパゴス」的な電化の存在である。それらの中には世界中に広がりつつあるもの、一方で後継に貴重な財産を残しながら消えていったものがある。

本書でもすでに紹介したが、一九七〇年代後半に誕生した日本語ワープロは多様なメーカーの参入と競争によって性能の向上とともに価格が低下し、八〇年代後半からは家庭でも普及が進んだ。「Ｒｕｐｏ」や「文豪」、「書院」などでキーボード入力と、かな・漢字変換を覚えた人も多いだろう。この後も液晶のカラー化や多様なフォントの採用、表計算機能の搭載なども行われたが、九〇年代半ばに入り、ウィンドウズパソコンや安価なプリンターが登場すると、標準装備されたワードや一太郎といったワープロソフトが主流となり、次第に姿を消していった。

また、九二年には、本体に搭載したファインダー兼用の液晶を見ながら撮影し、すぐに確認できるビデオカメラ「液晶ビューカム」がシャープから発売され、一大ブームを巻き起こしたた。しかし、ライバル各社の小型・高性能機種の市場参入、デジタルカメラの登場によって衰退し、今日見ることはできない。

同じく九〇年代には、電子手帳「ザウルス」も登場し、ビジネスマンを中心に普及が拡大したが、インターネットへの接続には性能上の限界があり、携帯電話にも同様の機能が内蔵されるようになると、利用者離れが急速に進んだ。

このようにわが国の消えゆく家電を見ると、消費者の厳しさや細やかさの下で、最先端の技術が積極的に採用され、機器単体の性能は向上を続けてきたことが分かる。

そして、そのコンセプトは、パソコンや携帯電話、スマートフォンなどの中に一つの機能として取り込まれ、現在も生き残っているのである。

さて、ここまで述べてきたような「電化大国・日本」を創ってきた三つの理由の中に、今後わが国が「電化大国」として輝き続けるためにどのようなヒントがあるのだろうか。それは企業者の自由な精神や、貪欲にニーズを出す消費者、さらには「面白いもの」を作る挑戦、ということには価値があるということである。これまで延長線上の製品でいい、以前と同じ性能でいいと考え、面白いものを否定する日本であるならば、電化大国の称号は間違いなく他国に与えられることになる。そうならないためには、製造者・革新者としてもちろん、ユーザーとしての日本人の溌剌さが求められているのではないだろうか。

あこがれの「電化の国」へ

そして、これまでの歩みからいえる最も大事なことは、「電化大国」としてのわが国は、もともとは「技術立国」としての「にっぽんブランド」に立脚していたということがある。外国人が日本をイメージする時、そこにはフジヤマ・ゲイシャといったキャラクターとともに最先端のハイテクノロジー製品を手にした国、というブランドがあり、世界のあこがれでもあった。今日の「にっぽん電化」の危機とは、こうした世界からの「あこがれ」の喪失に他ならない。

それでは、わが国にもはや電化大国への道はないのだろうか。その点で、「電化大国」の定義をもう一度考えてみると、実は電化大国のあり方は一つとは限らない。例えば電気文明の多くが生まれた米国を見ると、「標準・規範づくりに長けた資源大国」という電化大国のあり方が見てとれる。

米国は世界有数の資源大国であり、軍事力やソフトパワーで米国の生活様式や考え方を世界に普及させ、かつては電化生活そのものを、そして今は軍事力を流用したＧＰＳやＳＮＳ、情報通信社会の規範とルールを作ったアップル製品やグーグル社のサービスなどで世界にイノベーションを巻き起こし、電化の標準や規範を発信し続けている。

これと比べた時、日本は典型的な資源小国であり、戦後の一時期、懸命な製品革新によって生産技術と製品改良ノウハウを蓄積して、テレビ・電子部品といった一部の製品について米国の「量」の王座を奪った。これは一八八〇年代から始まる世界の電気の歴史の中では画期的なことであり、誇るべきわが国の足跡ではあるが、この「量」の王座は、グローバル化の中で日本の領分ではなくなっており、少なくとも「量」はわが国が電化大国であるあり方ではなくなっている。

しかしながら、一方で、電化大国の大事な要素である「独自性」において、わが国の面目を保つ新たなものも数多く萌芽している。それはボーカロイドの初音ミクであり、世界のどの国も作れない食品産業用の電化システムであり、世界で使われている巨大なインフラを支える高度鉄道システムなどである。そうした中でわが国全体が新しい「格好いい」電化大国にっぽんへの道を切り拓くにはどうしたらいいのだろうか。

それを考えるうえで私たちが提起したいのは、「にっぽん電化とは決して欧米へのキャッチアップだけだはなかった」という観察と定義である。欧米にあった機器技術をコピーし、低価格・高品質にするだけが「にっぽん電化」の本質なら、新進国の猛追とともにそれは消滅せざるを得ない。しかしながら、ここまでの「にっぽん電化」の歩みが教えてくれるもの、例えば出改札や移動の徹底した省資源のような「社会と添い遂げ、変える」電化や、ウォークマン、家庭用ゲーム機やザウルスに代表される「くらし自身を提案する」電化は、日本に、欧米にはない価値を世界に発信する力があることをわれわれに教えてくれる。

よく言われるように、世界の中で米国は普遍的なライフスタイルや製品プラットホームを作り、欧州は文化やファッション、伝統産業で世界のあこがれとなっている。一方、新進諸国はその成長過程で米国型の普遍的製品を大量生産し、標準化を進めてきた。その過程の中で日本は標準化のトップランナーであったが、同時に米国でも欧州でもない社会提案・暮らし提案を実践してきたことも見逃してはならない。簡単なことではないが、このような日本発の世界に受け入れられる価値の創造をレベルアップすることが、苦境にある「にっぽん電化」の再生に最も重要なのではないだろうか。

なすべき三つのこと

そうした思いから、私たちは日本の電化に対して「あこがれの電化大国」への復興に向けて次の三つのことを進めるべきだと考える。

一つはやはり「世界のだれもやらないことに挑戦する」「今までできなかったことを実現する」という電気文明の本質とわが国の電化の原点に返る「原点回帰」であろう。戦後の自由が作り出した数々の電化も、厳しい消費者が作り出した電化も、その中には世界の誰も試みなかった高画質、業務用にしかなかった機能の家庭用量産などにみられたチャレンジ精神があった。それらをもう一度取り戻すことが不可欠である。

二つめは、米国には決してない「資源小国」という環境の中から生まれる技術と叡智を世界に示すことである。ここ数年、欧州を中心に期待された再生可能エネルギーが電力の安定供給や価格安定と本質的に合わないことが明らかになり、世界は依然エネルギー制約の中にいることが再認識されている。機器レベルはもちろん、社会システムとしての省エネルギー革新は人類最大の課題であり、わが国は世界で最も天然資源に恵まれない先進国として、それらの技術の最先端フロンティアにいる。現存技術であるヒートポンプやＬＥＤはもちろん、移動、住居、料理に至るまで、新しい省資源の可能性をわが国が拓かなければならない。

そして三つめは、日本国内の需要が頭打ちになる中で、世界の潮流に乗った電化システムを日本から世界に提示し、売り込まなければならないということである。ここでいう世界の潮流とは都市化の加速であり、世界はますます都市化が加速し、都市空間は高度化する。人間活動が密度を増す都市化・高度化の中では、さまざまなエネルギーを組み合わせながらも基本的には制御しやすく利便性の高い電化へと進んでいく。これまで日本がリードしてきた家電、生活産業電化、さらには社会システム電化の数々をさらに磨き、各国に示していくことこそ、新しい電化大国の歩む道なのである。

あとがき

スマートフォンを携帯していないと一日が不安になる。道路情報も車載のナビゲーションに頼りきる。人と電機、電気機器が一体となって、今日の生活が成り立っている。

一八世紀後半から一九世紀にかけて、産業革命のうねりが世界を席巻した。蒸気力による工場制機械工業の発展は、地球規模での工業化の原動力となった。その後、二〇世紀には、電気や石油に依存する重化学工業の発展をみた。そして今日、気がつくと私たちは、電気がないと成り立たない「都市文明」のただなかで生きている。

日本で初めて、電気の灯りが夜を照らしたのは一八七八（明治一一）年三月二五日のことであった。工部省電信局が電信中央局の開局を祝う宴を実施した際、講堂天井のアーク灯が点灯された。翌年、エジソンが白熱電球を発明する。一八八六年には東京に国内初となる電灯会社が創設される。それから今日に到るまでの一三〇年余り、私たちは、自身、都市、そして世界そのものを、ひたすら「電化」してきた。その傾向は、今後、さらに強まることだろう。

「電化」は、人類の夢を実現してきた。例えば超高速での都市間移動を実現するリニアモーターカー、宇宙の深淵を探索する各種の天体望遠鏡の画像処理、最先端の医療を実現するために不可欠な遺伝子レベルの分析など、先端の技術を支える演算装置や分析機器には電気に依拠した制御機器が不可欠である。

さらなる「電化」は、人類にとってのフロンティアを切り開く。多言語間の自動通訳システム、人間の考えや感情に反応してサービスするアンビエント家電や介護ロボット、人為的なミスによる事故を防いでくれる次世代の都市交通システム、ゲノム医療、気候の制御システム、惑星への人類による探査、超高速宇宙エレベーター、エネルギー問題を根本的に解決する核融合炉など、検討されている各種の「未来技術」を実現するうえでも電気に依存している今日の文明の維持が必要になる。

未来の「電化」を担う技術者や発明家、企業家たちは、どのような夢に挑戦するのか。どのような利便性や楽しみを、そしていかなるライフスタイルを私たちに提供してくれるのだろうか。可能性は無限にあるはずだ。

もっともいっぽうで、私たちは過去の「電化」にも目を向けなければいけない。「現在」は固定されたものではない。「過去」と「未来」の狭間にあって、「現在」は瞬時に「過去」になり、「未来」はいずれ「現在」になる。「電化」によって生活様式の変容する速度が加速度を増しているがゆえに、近過去の出来事を真摯に評価する作業が、近未来の可能性を探るうえで有効となる。

そのような思いから、私たちは「都市と電化研究会」を立ちあげ、わが国における電化の所産であるライフスタイルの変貌、さらには電化がもたらした文化的な表象や社会的な価値観の変化を対象に研究を重ねてきた。とりわけ電気を供給する発送電事業者の立場からではなく、ユーザーである企業、ひいては消費者の側からその本質を考えたいと思い、日本における電化の足跡と出来事を分析しようと考え、「にっぽん電化史」という枠組みを想定した。

「都市と電化研究会」では、『電気新聞』の紙面を借りて、「にっぽん電化史」と題する文章を断続的に掲載してきた。連載にあたっては、メンバーのひとりがまず草稿を書き、研究会での議論にはかり、内容と文章を精査のうえで掲載原稿とするという手順を踏んだ。全員の共同作業であるといってよい。

本書はそのうち、二〇一二年一二月から二〇一三年六月の期間、毎月第一週の月曜日から金曜日まで掲載した「未来へ紡ぐ電化史」篇、および二〇一三年一〇月から二〇一四年七月まで毎週金曜日に寄稿した「電化大国への歩み」篇をもとに、加筆のうえ再構成を行ない、一色先生との対談を加えて一冊としたものだ。私たちの成果物としては三冊目になる。

最後に、連載および単行本化にあたって協力いただいたすべての方々、企画段階より一貫して力添えいただいた関西電力、かんでんCSフォーラム、日本電気協会新聞部（電気新聞）に、心からの謝意を記しておきたい。

二〇一五年三月二五日　電気記念日に寄せて

都市と電化研究会代表　橋爪紳也

【編著者紹介】

橋爪　紳也（はしづめ　しんや）

大阪府立大学21世紀科学研究機構特別教授、大阪府立大学観光産業戦略研究所所長。都市と電化研究会代表。都市計画学･建築史学･都市文化論専攻。工学博士。

1960年大阪府生まれ。京都大学工学部建築学科卒業、同大学院工学研究科修士課程修了、大阪大学大学院工学研究科博士課程修了。京都精華大学助教授、大阪市立大学都市研究プラザ教授などを経て現職。

大阪特別顧問、大阪市特別顧問を務め、大阪のまちづくりに関わるキーパーソンとして活躍。

著書に『倶楽部と日本人　人が集まる空間の文化史』『明治の迷宮都市　東京・大阪の遊楽空間』『にぎわいを創る　近代日本の空間プランナーたち』『大阪モダン　通天閣と新世界』『なにわの新名所』『日本の遊園地』『人生は博覧会　日本ランカイ屋列伝』『モダン都市の誕生』『飛行機と想像力　翼へのパッション』ほか多数。

加治木　紳哉（かじき　しんや）
東京大学公共政策大学院特任研究員。専門分野は科学史、技術史、科学技術社会論。学術博士。
1973年鹿児島県生まれ。東京工業大学大学院社会理工学研究科経営工学専攻博士課程修了。東京工業大学大学院社会理工学研究科特別研究員、財団法人電力中央研究所社会経済研究所協力研究員を経て現職。
著書に『戦後日本の省エネルギー史　電力、鉄鋼、セメント産業の歩み』。編著書に『にっぽん電化史２　災害と電気』。

西村　陽（にしむら　きよし）
早稲田大学先進グリッド研究所教授、公益事業学会理事。
1961年富山県生まれ。一橋大学経済学部卒業。1999年～2001年学習院大学特別客員教授。2007～2010年大阪大学大学院工学研究科招聘教授（ビジネスエンジニアリング専攻）。主著に『電力改革の構図と戦略』（2001年度エネルギーフォーラム賞受賞）、『電力自由化ここがポイント』『電力自由化完全ガイド』など。
共著に『金融技術と電力』『検証エンロン破綻』『電力のマーケティングとブランド戦略』『低炭素社会のビジョンと課題』『にっぽん電化史』など多数。

にっぽん電化史《でんかし》3　未来《みらい》へ紡《つむ》ぐ電化史《でんかし》

2015年3月25日　初版第1刷発行

著　者　都市《とし》と電化研究会《でんかけんきゅうかい》／著
発行者　梅村　英夫
発行所　一般社団法人日本電気協会新聞部
〒100-0006　東京都千代田区有楽町1-7-1
TEL 03-3211-1555　FAX 03-3212-6155
振替　00180-3-632
http://www.shimbun.denki.or.jp/
印刷・製本　壮光舎印刷株式会社
装丁　日高秀司

ISBN 978-4-905217-43-5 C0236